ANDREAS GRYPHIUS

Horribilicribrifax Teutsch

SCHERZSPIEL

HERAUSGEGEBEN VON
GERHARD DÜNNHAUPT

PHILIPP RECLAM JUN. STUTTGART

Universal-Bibliothek Nr. 688 [2]

Gesamtherstellung: Reclam, Ditzingen. Printed in Germany 1988
ISBN 3-15-000688-0

ANDREÆ GRYPHII

HORRIBILICRIBRIFAX

Teutsch.

Breßlaw /
Bey Veit Jacob Treschern.

Titel der Erstausgabe von 1663

Zeitgenössische Darstellung des Daradiridatumtarides

[Aij^r] Dem Hoch- und Groß-
Edel-gebohrnen / Erkornen / Gestren-
gen / Mannfesten Herrn /
Herrn

Horribilicribrifax,

von Donnerkeil / auff
Wůsthausen.

Unvergleichlicher Camerade / be-
ståndiger und treuer Freund!

MEinen zu Defendirung seiner Ehre scharffgeschliffnesten und von Tag zu Tage bey nůchternem Morgen ausgeputzeten Degen zuvor: Jch befinde endlich / daß die Literatis sich den hochmůthigen Neid so tieff besitzen lassen / als iemahls wir / die wir unsere Lebentage Maestri delli Campi gewesen / uns unterstehen důrffen / diesen lieblichen Furias Quar-[Aij^v] tier zu geben. Jch habe nunmehr ein paar douzine Jahre unserm weyland bekanten Freunde vor zwey und dreysig tausend Millionen gute Worte gegeben und geben lassen: umb die Beschreibung unser Vortrefflig-keit / So er vor långst / und zwar bloß von der Faust auff-gesetzet / ad lucibus dies zu geben: aber bloß umbsonst! unangesehen er auch auff Ansinnen Illustribus Personibus darzu angehalten worden. Er hat aber alles / als wann er uns vor diesem nie durch ein zusprengtes Bolwerck angese-

10 *Defendirung:* Verteidigung.
12 *Literatis:* Gelehrten.
14 *Maestri delli Campi:* Feldherren.
15 *Furias:* Furien.
16 *douzine:* Dutzend.
20 *von der Faust:* aus dem Stegreif.
21 *ad lucibus dies* (für lat. ad luces diei): ans Tageslicht.
22 *Illustribus Personibus:* erlauchter Persönlichkeiten.
24 *durch ein zusprengtes Bolwerck:* d. h. überhaupt nicht.

hen / hochmůthig negligigeret: und ich weiß nicht was vor mirables excuses vorgewendet. Neulich aber habe ich meinen alten / nunmehr zimlich abgerissenen / und stets getreuen Major domo Signor Cacciadiavolo aus lauter impantienze zu ihm abgefertiget / und selbten mit instructiones genungsam habilibitiret: und durch selbten anhalten lassen / Er wolte nicht långer uns unser wol-meritiritirtes Lob mißgo̊nnen: und die Totus mundus, welche långst die Zeitung unserer Wunderen Liebe / avanturados, und horribles choses zu wissen begehret / åffen und auffhalten: Hat sich ein unversehenes infortunium zu unserm besten erklåret. Sintemahl mein Signeur [Aiij^{r}] Magior Domo nach seiner hoch-desiderablen Wiederkunfft / prelatio bey mir / nach gebůhrender Complimentirung / abgeleget / und mich berichtet: Er håtte unsern vorweilen guten Patronium nach den und den tito verwichenen Monden nach Mittage um 3. Uhr angetroffen: und zwar / nach dem etliche Gentil huomini von ihm geschieden / vor welchen Er sich zimlich alterniret: were aber gleichwohl zu ihm eingetreten / da Er ihn dann noch unter vier oder fůnff / dem Ansehen nach / trefflichen Leuten

1 *negligigeret* (für negligiret): ignoriert.
2 *mirables* (für frz. miserables) *excuses:* erbärmliche Ausreden.
4 *Major domo:* hier: Diener.
impantienze (für ital. impatienza): Ungeduld.
6 *habilibitiret* (für habilitiret): versehen, ausgerüstet.
7 *wol-meritiritirtes* (für wol-meritirtes): wohlverdientes.
8 *Totus mundus:* ganze Welt.
Zeitung: Nachricht.
9 *Wunderen:* wundervollen.
avanturados: Abenteuer.
horribles choses: hier: erschrecklichen Taten.
11 *infortunium:* Mißgeschick.
12 f. *hoch-desiderablen:* äußerst erwünschten.
13 *prelatio* (für lat. relatio): Bericht.
14 *Complimentirung:* formeller Austausch von Begrüßungskomplimenten.
15 *Patronium:* Herrn.
15 f. *tito* (für dato) *verwichenen Monden:* Datum des vergangenen Monats.
17 *Gentil huomini:* Edelleute, Herren.
18 *alterniret* (für alteriret): aufgeregt.

gefunden: durch deren praesentiam er so gleichsam chasmentiret, daß er nicht ein einiges Wort vorbringen können. So bald ihn aber aus dem accantien seiner Wolredenheit und der nunmehr langgetragenen leporie unser Freund erkennet; hätte er ihn Humblementissime angenommen / demüthig angehöret / und statt der Antwort mit einem grossen Bocale Wein / von Fino de Hungaria bewillkommet / ihn zu sitzen execriret, und / propter Seriam, ad cras beschieden; Jn dessen hätte er ihm nur müssen belieben lassen zu thun / was dem Wirthe gefallen. Mit welchem anwesende Chevalieers, dann er müste gestehen al fe de Gentil houmine, daß sie mehr denn diesen Tittu-[Aiij^v]los verdienet / in unterschiedenen Redens Arten weitläufftig discourssiret: und seiner Opinationum nach sollen sie wunderlich geredet haben: bestund darauff / er hätte wohl etwas aber gar nicht multus nimios verstanden: glaubete doch / es müste von enportanze gewesen seyn / weil sie zuweilen Farouchè gesehen / zuweilen gelachet: Er hätte sich in fremde Händel nicht mischen wollen noch sollen / wie er dann von mir nicht apprendiret, weniger darzu instruxiret: Solte es aber zu Weitläufftigkeiten

1 *praesentiam:* Gegenwart.
1 f. *chasmentiret* (für charmiret): erfreut, ergötzt.
3 *accantien* (für accente): Anzeichen, Merkmal.
4 *leporie* (für lat. lepore): Anmut.
5 *Humblementissime:* aufs allerbescheidenste, höflichst.
6 *Bocale:* Pokal.
7 *Fino* (für ital. vino) *de Hungaria:* Ungarwein.
8 *execriret:* beschworen.
propter Seriam (für lat. seram), *ad cras:* der späten Abendstunde halber auf morgen.
11 *al fe de Gentil houmine* (für ital. huomini): aufs Ehrenwort eines Edelmannes.
13 *discourssiret:* sich unterhalten.
13 f. *Opinationum:* Meinung.
15 *multus nimios:* allzuviel.
16 *enportanze* (für frz. importance und ital. importanza): Wichtigkeit.
17 *Farouchè* (für frz. farouche) *gesehen:* wütend geblickt.
19 *apprendiret:* gelernt.
20 *instruxiret:* beauftragt, angewiesen.

kommen seyn / solte ich mich versichern / daß er sich nicht wolte haben roubiginiren lassen: Jndessen hätte er ihm angelegen gehalten / redlich bescheid zu thun / hätte auch iederzeit denselben / der am eiferigsten geredet / mit einer brindisi besänfftiget / und also guten Frieden befördern und stifften helffen. Nach dem nun auch diese ihren Abschied höchstfreundlichst genommen / wäre er zwar zu der Abend-Mahlzeit / von weyland treuem Freunde / inficiret worden; derer er auch beygewohnet: Weil ihm aber bereits von der mühseligen Reise / und dem hochwichtigen vorgegangenen Discourssus das Haupt schwer gewesen / wüste er nicht eigentlich zu narriren, was bey gedachtem Souppe vorgegan-[Aiiij^r]gen; ohne daß er ihm die eigentliche reflexion machete / es wäre ein grosser gebratener Hase auffgetragen worden: welches zweiffels ohn nicht so sehr meinem Herren Ambassiadoren, als mir dem Primcali selbst gemeynet gewesen / bin aber mit dem Conspect vergnüget. Weiter wüste er nichts / als daß er vor zwey Stunden devant my die aus einem sanfften Schlaff auffgewecket / und alsobald zu unserm weyland lieben Patronium gefordert / welcher ihn avec une horrible caprice vermahnet / Er solte uns beyderseits in seinem Namen grüssen / uns ermahnen nunmehr klug zu werden: der bagatellen uns zu äussern; und wo nicht auff Gott / doch auff unser Fictafium bey Zeiten

2 *roubiginiren* (von lat. rubigo): verrosten.
4 *brindisi:* Trinkspruch, Umtrunk, Toast.
8 *inficiret* (für invitiret): eingeladen.
11 *Discourssus:* Gespräch.
12 *narriren:* erzählen.
Souppe: Abendessen.
13 *reflexion* (für relation, von lat. relatio): Bericht.
16 *Ambassiadoren:* Boten.
Primcali (für lat. principali): Hauptperson.
17 *Conspect:* Anblick; er meint jedoch Respect.
18 *devant my die* (für frz. midi): vormittag.
21 *avec une horrible caprice* (vielleicht für frz. mépris): höhnisch, verächtlich.
24 *Fictafium* (für lat. epitaphium): Grabinschrift, hier: Nachruhm.

zu dencken: Jhn wunderte / daß wir die Thorheiten seiner Jugend von ihm begehreten / in welchen doch nichts / als unsere eigene Schande zu lesen seyn wůrde. Ho! ho! caspita! und weil mein lieber Getreuer vor Schrecken diese Worte nicht so bald reprehendiren ko̊nnen; hått er sie ihm so gar en les tablettes, die er als gewesener Quartier-Meister / nach dem der Teuffel långst die rothen Scharlach Hosen mit den Silbernen Galaunen geholet / gedictioniret. Der Herr Bruder dencke / wie dem redlichen [Aiijv] Kerlen bey solchem Respect zu muthe worden: Weil er aber geno̊thiget / biß zu der Frůhmahlzeit zu verharren / auch ihm die Liefer-Gelder indessen zu manciniren begonnen: Hat er sich eilends aus dem Gemache / und zwar in respiration einen Stoicidalischen Mord an sich zu begehen retteriret; Voila, aber was geschiehet: weil ihn das Schrecken in den Afftерdarm catologiret: eilet er nach dem Ort / welchen man nur avec permission nennen darff: in welchem er denn / wegen vermeintlicher unglůckseliger Ambassade, mehr durch die Nasibus und Oculis, als per derrire geweinet. Jn dem er sich aber etwas erholet / und nunmehr Stoff zu der Reinigung von ihm desseriret wurd; erblicket er einen Hauffen deschirez collu-

3 *caspita:* großartig, wahrhaftig!
5 *reprehendiren* (für apprehendiren): erfassen, verstehen.
5 f. *en les tablettes:* in die Schreibtafel.
8 *Galaunen* (von frz. galon): Tressen, Borten.
gedictioniret: diktiert.
10 *Respect* (für lat. conspect): Anblick.
12 *manciniren* (von ital. mancare): fehlen.
13 *respiration* (für intention): Absicht.
13 f. *Stoicidalischen* (für suicidalischen) *Mord:* Selbstmord.
14 *retteriret* (für retiriret): zurückgezogen.
15 f. *catologiret* (aus griech. κατα und logiret): unten einlogiert, hinabversetzt.
16 f. *avec permission:* mit Erlaubnis.
18 *Ambassade:* Botschaft, Botengang.
18 f. *Nasibus und Oculis:* Nase und Augen.
19 *per derrire* (für frz. par derrière): durch den Hintern.
21 *desseriret* (von frz. désirer): erwünscht.
21 f. *deschirez collutulez* (von lat. lutulentus) *& de gutte* (frz. dégoû-

tulez & de gutte pampieres, schwinget sich derowegen mit Freuden auff dieselben: und in dem ersten Grieff erblicket er meinen erschrecklichen Namen:

Jam Te-nos facimus Fortunus eam!

Er greiffet nach demselben / und findet das gantze Concept unserer Liebe und Deversation: ausser daß es per curiam temporis durch die ůbermůthige non chalance, unsers vorweilen Freundes hin und wieder Schaden gelitten / [Avr] und was zuvor håtte gesaget werden sollen / in so einen veråchtlichen Ort verworffen: in welchem es freylich långst / seinem Belieben und Willen nach / in tausend mahl tausend / ich darff nicht schreiben was / vergangen / wenn es nicht Tempum Genium und Fortunum, und die heilige Atropis, trotz aller Neid erhalten: Und dieses heist:

Qvàm saepe summa medio in culo latent.

Nach gefundenem so grossen Schatz kůsset mein Don Cacciadiavolo dreymahl den Grund / auff dem es gelegen / verbirget dieses långst gewůndschte Kleinod zwischen Fell und Hembde: isset demnach frőlich mit dem / der nicht weiß / was vor eine Helenam ihm entfůhret: und bringet auff ge-

tés) *pampieres* (für frz. papiers): zerrissenes, dreckiges, ekelhaftes Papier.

4 *Jam ... eam:* verderbtes Latein, wohl mit der Bedeutung: »Jetzt haben wir dich, und ich kann glücklich von dannen ziehen« (Palm). Nach Powell entstellt aus »ut tu fortunam, sic nos te, Celse, feremus«; Horaz, *Epistula* I, 8,17.

6 *Deversation* (für devastation): hier: Zerknirschung.

6 f. *per curiam* (für lat. incuriam) *temporis:* durch den Verschleiß der Zeit.

7 *non chalance:* Nachlässigkeit.

13 *Tempum Genium und Fortunum:* Zeit, Geist und Glück. *Atropis* (für Atropos): die Parze, die den Lebensfaden abschneidet.

15 *Qvàm ... latent:* Wie oft ist das Wichtigste mitten im Hintern versteckt.

20 *Helenam:* hier: kostbarer Besitz.

bogenen Knien zu mir / was ich dir hiermit mit entblössetem Haupte stehend condicire:

Jch muß cunfidiren, daß in dem Roriginal aus Unachtsamkeit / wo nicht Neid und Mißgunst des Autoribus die letzte 5 zwey Seiten verfaulet / aus welchen unsers Gegenparts Sempronius Testament abgecopiret gewesen. Jch habe aber dieses nicht sonders geachtet / weil dieser unser steter Feind gewesen / und [Av^{v}] derowegen die Orte so confect itziger Methodibus nach mit ***** bezeichnet.

10 Gehabe dich wohl / unvergleichlicher Camerade! Stirbest du eher / als ich: so vermache mir doch deine Netze: Winde / und deine kurtze Wehre / zu stetswährendem Andencken: Gehe ich voran; so bleib Erbe ex massa von meiner Partisane / die ich von dem ererbet / der jenem Hertzog zu Eger 15 den Rest gegeben. Hiermit verbleibe ich

Meines unvergleichlichen Camerades /
Bruders / Freundes / und
Gevattern

Gegeben dieses
20 Jahr / an dem
Schalttage.

Obliganter biß in das Grab

Daradiridatumtarides Windbrecher / von Tausend Mord /
25 auff N. N. N. Erbherr / in
und zu Windloch.

2 *condicire* (für dedicire): überreiche.
3 *cunfidiren* (von lat. confiteri): eingestehen.
Roriginal: für: Original.
8 *confect* (für defect): beschädigt. Er bezieht sich hier auf die im Heiratskontrakt mit ***** bezeichneten Auslassungen.
11 *Winde:* Windhunde, schnelle Jagdhunde.
12 *kurtze Wehre:* Dolch.

Fortsetzung Fußnoten Seite 11

13 *ex massa:* vom Ganzen.
13 f. *Partisane:* lange Stoßwaffe, Lanze.
14 *Hertzog zu Eger:* Wallenstein.
22 *Obliganter* (für Obligierter): untertänigster Diener.
23 *Daradiridatumtarides:* nach Powell aus pers. Darâ, König; lat. dirus, entsetzlich; Datis, grausamer persischer Feldherr um 490 v. Chr.; -ides bedeutet Nachkomme.

[Avj^{r}] Jn diesem Schertz-spiel werden eingeführet als Redende:

Palladius.
Florian. Ein kleiner Jhm auffwartender Edelknabe.
Bonosus.
Cleander.
Dionysius, Sein Diener.
Selene. Eine hochmüthige / doch arme / Adeliche Jungfrau.
Antonia. Mutter der Selene.
Sophia. Eine keusche / doch arme / Adeliche Jungfrau.
Flaccilla. Mutter der Sophien.
Coelestina.
Camilla, Jhre Cammer Jungfer.
Eudoxia.
Don Daradiridatumtarides. } Zwey weiland reformirete
Don Horribilicribrifax. } Hauptleute.
[Avj^{v}] Don Cacciadiavolo. } Diener des Daradiridat.
Don Diego. }
Harpax. Page des Horribilicribrifax.
Sempronius. Ein alter verdorbener DorffSchulmeister von grosser Einbildung.
Isaschar. Ein Jude.
Cyrilla, eine alte Kuplerin.
Die Pagen der Coelestina.

4 *Florian:* in der Schlußszene Florentin genannt.
8 *Selene:* im Text auch Selenissa genannt.
15 *reformirete:* aus dem Militärdienst entlassene.
16 *Horribilicribrifax:* wörtlich: entsetzlicher Siebmacher; d. h. der im Kampf seine Feinde wie Siebe durchlöchert.
17 *Cacciadiavolo:* wörtlich: Teufelsjäger.
19 *Harpax:* wörtlich: Enterhaken; raubgieriger Mensch (schon bei Euripides und Plautus).

als Schweigende:

Das Frauen-Zimmer Coelestinae und Eudoxiae.
Die Pagen Coelestinae.
Die Diener Palladii: Bonosi: Cleandri.

2 *Frauen-Zimmer:* hier: Dienerinnen (Pl.).

[1] # Wehlende Liebhaber.

Schertz-Spiel.

Der Erste Auffzug.

Capitain Daradiridatumtarides Windbrecher
5 *von Tausend Mord. Don Cacciadia-*
volo, Don Diego, seine Diener.

Darad. DOn Diego růcket uns den Mantel zurechte / Don Cacciadiavolo, Jch halte / daß das Ostliche Theil des Bartes mit der West Seiten nicht allzuwol ůberein komme.

10 Don Cacc. Großmåchtigster Hr. Capiten, es ist kein Wunder! die Haare der lincken Seiten sind etwas versenget von den Blitzen seiner Feurschiessenden Augen.

Dara. Blitz / Feuer / Schwefel / Donner / Salpeter / Bley und etliche viel Millionen Tonnen Pulver sind nicht so
15 måchtig / als die wenigste reflexion, die ich mir ůber die reverberation meines Unglůcks mache. Der grosse Chach Sesi von Persen erzittert / wenn ich auff die Erden trete. Der Tůrckische Kaiser hat mir etlich mahl durch Gesandten eine Offerte von seiner Kron gethan. Der weitberůhmte
20 Mogul schåtzt seine retrenchemente nicht sicher fůr mir. Africa hab ich vorlångst meinen Cameraden zur Beute gegeben. Die Printzen in Europa, die etwas mehr courtese halten Freundschafft mit mir / mehr aus Furcht / als [2] wahrer affection. Und der kleine verleckerte Bernhåuter /

8 *halte:* bin der Meinung.
16 *reverberation:* Widerhall.
Chach: Schah.
20 *retrenchemente:* Verschanzungen.
22 *courtese:* Höflichkeit.
24 *affection:* Zuneigung.
Bernhäuter: Faulpelz. Vgl. ›auf der Bärenhaut liegen‹.

der Rappschnabel / Ce bugre, Ce larron, Ce menteur, Ce fils de Putain, Ce traistre, ce faqvin, ce brutal, Ce bourreau, Ce Cupido, darff sich unterstehen seine Schuch an meinen Lorberkräntzen abzuwischen! Ha Ma Deesse! merville de monde adorable beauté! Unüberwindliche Schöne! unvergleichliche Selene! wie lange wolt ihr mich in der Courtegarde eurer Ungunst verarrestiret halten? 5

Don Diego. Signor mio illustrissimo! Mich wundert nicht wenig / daß ihr das Bollwerck von Selene noch nicht habt miniren können. Die Damosellen dieses Landes erschrecken / wenn sie euch von Spiessen / Schlachten / Köpff abhauen / Städte anzünden und dergleichen discuriren hören. Sie meinen / daß ihr todos los Diabolos in der Vorbruch / wie die Schweitzer in dem Hosenlatz / traget. Mich dünckt Palladius richte mit seiner anmuthigen Courtesi weit mehr aus / als wir mit allen unsern Rodomontaden. 10 15

Dara. Palladius? Wenn er mir itzund begegnete / wolte ich ihn bey der äussersten Zehe seines lincken Fusses ergreiffen / dreymal umb den Hut schleudern / und darnach in die Höhe werffen / daß er mit der Nasen an dem grossen Hundsstern solte kleben bleiben. 20

1–3 *Ce bugre ... Cupido:* dieser Schuft, dieser Spitzbube, dieser Lügner, dieser Hurensohn, dieser Verräter, dieser Schurke, dieses Vieh, dieser Schinderknecht, dieser Cupido (d. i. lüsterne Kerl).

4 f. *Ha Ma Deesse! merville de* (für frz. merveille du) *monde ... beauté:* Ah, meine Göttin! Wunder der Welt, anbetungswürdige Schönheit.

7 *Courtegarde:* Haft.

8 *Signor mio illustrissimo:* mein durchläuchtigster Herr!

10 *miniren:* Diego vergleicht die Eroberung Selenes mit Erstürmung einer Festung.
Damosellen (für frz. Demoisellen): die jungen Damen.

13 *todos los Diabolos:* alle Teufel.

14 *Vorbruch:* vorderer Latz der Männerhose.

16 f. *Rodomontaden:* hyperbolisch übertriebene Heldentaten, nach Ariostos Rodomonte im *Orlando furioso.*

22 *Hundsstern:* Sirius.

Don Cacciad. Es were zu viel / daß er von solchen
Rittermaͤssigen Haͤnden sterben solte. Wenn er uns gleich
itzund in der furie begegnete / wolte ich ihm bloß in das
Gesichte speyen / er wuͤrde Zweiffels ohne bald in Asch
5 und Staub verkehret werden.

Dara. Behuͤte mich der grosse Vitzliputzli, was ist das?
dort *(es erscheinet von ferne eine Katze)* sehe ich zwey
brennende Fackeln uns entgegen kommen?

Don Cacc. Holla! ins Gewehr! ins Gewehr! Die Nacht
10 ist niemands Freund.

[3] Darad. Ey last uns weichen! wir sind ausser unserm
Vortheil und moͤchten verraͤtherlich uͤberfallen werden. Jch
wil nicht von mir sagen lassen / daß ich mich der Finster-
niß zu meiner Victorie mißgebrauchet.

15 Don Cacc. Bey der Seel des General Wallensteins / sie
blasen zu Sturm.

Don Diego. Ey last uns stehen bleiben! sehet ihr nicht?
es ist eine Katze / die also mit den Augen fuͤnckelt.

Don Cacc. Es mag der Beelzebub wol selber seyn.

20 Darad. Ho! ich bin vor ihm unerschrocken. Der gantze
Leib zittert mir vom Zorn wie eine Gallart. Jch werde
gantz zu lauter Hertze und kenne mich schier selber nicht /
ich schwitze vor Begierde zu fechten. Voicus le bras qvi
rompt le cours de destins de tous!

25 Don Diego. Des fous! und faͤhret vor Furcht aus den
Hosen.

Darad. Was sagt Don Diego?

Don Diego. Jch sage / ihm reissen vor Ungedult zu war-
ten die Hosen entzwey.

30 Capitain Dara *(zeucht den Degen aus)*. Sa! sa! her-

3 *furie:* Kampfeswut.
6 *Vitzliputzli:* Kriegsgott der Azteken.
21 *Gallart:* Gelee, Sülze.
23 f. *Voicus ... tous:* Hier ist der Arm, der den Lauf des Geschickes aller Lebewesen unterbricht.
25 *Des fous:* der Narren.

an / heran / du seyest auch wer du seyst! je brave la main des parqves, ich habe wohl eher alleine dreissig mahl hundert tausend millionen Geister bestanden.

Don Diego. Minder eine halbe.

Don Caccia. Wol was geraß ist dieses? *(der Nachtwächter beginnt zu singen / Jhr lieben Leute last euch sagen / und dergleichen).* 5

Darad. Bey meinem adelichen Ehren / ich halte doch / es gehen Gespenster um. Was ists von nöthen / daß wir die Zeit so früh auff der Gassen zubringen. Herein / herein ins Gemach. Wer Unglück suchet / der verdirbet darinnen. 10

[4] *Antonia. Selene.*

Antonia. Liebes Kind / es ist nicht ohn / ich bin deine Mutter / und wolte bey dir thun / was einer ehrliebenden Frauen und Mutter zustehet: Du bleibest aber auff deinem Kopff / und wilst gutem Rathe nicht folgen. Du weissest / unsere Mittel sind in dem Kriege zerronnen: Wir stecken in Schulden / und so es entdeckt wird / verlieren wir unser übriges Credit. Die Kleider / Perlen und Geschmeide / in welchen du herein gehest / gehören meiner Schwester / welche sie eher wird abzufordern wissen / als uns vielleicht lieb seyn möchte. Du weissest / daß wir über zwey gantze Hembde nicht in unserm Vermögen haben. Wer dich von oben besiehet / solte wol meinen / wir hätten den gantzen Spitze Kram von Brüssel erb-eigen. Wer aber etwas genauer auff uns acht giebet / wird wol erkennen / daß nicht alles Gold / was gleisset. Du bist nicht die Jüngste: unter den Schönsten wird man dich nicht verlieren: und ich weiß auffs beste / was hin und wieder an dir zu meistern: Auff Fürsten darffst du nicht hoffen. Das Küh- und Schaaff- 15 20 25 30

1 f. *je . . . parqves:* Ich trotze der Hand der Parzen.
5 *geraß* (für Gerase): Radau, Krawall.

Fleisch gilt itzt schier mehr / als Jungfern Fleisch. Drumb siehe vor dich / und hilff dir und mir durch eine glückliche Wahl.

Selene. Frau Mutter! wohl bedacht / hat niemand Schaden bracht. Jch muß mit dem Manne leben / nicht ihr. Es ist bald genommen / aber nicht so leicht davon zu kommen.

Antonia. Was mangelt Possidonio? Er ist reich / von hohem Ansehen / im blühenden Alter / hat vornehme Freunde / stehet wol zu Hofe / und liebet dich von gantzer Seele.

Selen. Ha! Frau Mutter / solt ich meine Zeit mit dem wunderlichen Kopffe zubringen? lieber hättet ihr mich in dem ersten Bade erträncket.

[5] Antonia. Man wird dir mahlen müssen / was dir tügen solle. Cleander, der dich vor begehret / da er in geringerm Stande / wil dich ietzt nicht / da er gestiegen / durch einen zubrochenen Zaun ansehen. Was werden wir an Palladio zu tadeln haben? Du siehest / wie dessen Glücke zu blühen beginnet.

Selene. Wohl Frau Mutter! weil es blühet / so mag es reiff werden! Gelehrte: Verkehrte. Ein Gebündlin Bücher / und ein Packetlin Kinder ist ihre gantze Verlassenschafft. Was kan eine Dame von Qualität vor contentament haben bey einem solchen Menschen? Des Morgens um vier / oder auch eher / aus dem Bette / und unter die Bücher / von dannen auff den Hoff / in die Kirche oder zu den Krancken. Sie träumen an der Taffel / oder belegen die Teller wohl gar mit Brieffen. Den gantzen Tag / steckt ihnen der Kopff voll Mäusenester / und (was der Teuffel

1 *Jungfern Fleisch:* Jungfernschaft, Unberührtheit.
15 *mahlen:* hier: vormalen, von Grund aus neu entwerfen.
16 *tügen:* taugen, genügen, passen.
vor: zuvor.
18 *durch einen zubrochenen Zaun:* d. h. überhaupt nicht.
23 *Verlassenschafft:* Hinterlassenschaft, Erbschaft.
24 *contentament:* Zufriedenheit, Vergnügen.

gar ist) wenn sie um 12. Uhr wiederum zu Bette kommen / so schlagen sie sich mit tollen Gedancken / machen Verse oder schicken die fůnff Sinne gar in Ost-Jndien. Unsere alte wasche Magd / die schwartze Dorabelle, welche lange bey einem Kŏniglichen Rath in Diensten gewesen / hat 5 mich mit Eyd und Thrånen versichert / daß eine Bauer-Greta viel besser sich auff dem Strosack befinde / als des gelehrtesten Mannes Frau auff Schwanen Federn.

Antonia. Sie sind nicht alle solche Tråumer. Unsere Schwågerin Frau Sulpitia hat sich noch niemals beklagt: 10 sie hat die Kasten voll / das Hauß beschicket / die Schůttboden versehen / die Keller sonder Mangel / die Kůchen stets leuchtend. Da hergegen Frau Gertrud, die den reichen Wucherer geheyrathet / hunger stirbt / und mehr Maultaschen als Krametsvogel von ihrem Mann auff- 15 fressen muß.

[6] Selen. Dem sey so! ich wil vor mich von keinem Gelehrten wissen. Ein Land-Juncker stůnde mir besser an.

Antonia. Der seine Hunde lieber siehet / und die grosse Vieh-Magd ŏffter kůsset / als sein redlich Weib. Jch weiß / 20 daß dir das Maul nach dem Narrenfresser / dem Auffschneider / Capitain Lůgner / von der Bernhåuterey / stincke.

Selene. Warum / Frau Mutter / daß sie den redlichen Cavalier verkleinert? ich sehe nicht / warum ich ihm nicht 25 gůnstig seyn solle; Er vermag bey 30000. contenten, weiß seine Person zu praesentiren, ist bey vornehmen Leuten berůhmt und beliebet. Er – – –

4 *wasche Magd:* Wäscherin.
11 *beschicket:* wohl bestellt, in Ordnung.
11 f. *Schůttboden:* Kornspeicher.
12 *versehen:* gefüllt.
13 *leuchtend:* vor Sauberkeit glänzend.
15 *Maultaschen:* Ohrfeigen.
22 *Bernhåuterey:* Faulheit.
26 *vermag* (von vermögen): besitzt.
contenten: in bar, Kontant.

Antonia. Er hat dir vielleicht Brieff und Siegel über sein Vermögen gegeben.

Selen. Was solt er vor Ursach haben ein mehrers von sich außzugeben als sich in der That befinden möchte?

5 Antonia. Wer auff der Buler vergebenes Reichthum trauet / befindet sich in dem Ehestande mit leeren Händen.

Selen. Nechst / als er uns in den Garten tractiret / war ja der gantze Tisch mit Gold und Silber besetzet. Er streuete Ducaten aus / als wärens Stroh-Thaler: Die Diamantene 10 Hutschnur und das Gehencke sind allein ein zehn oder zwölfftausend Reichsthaler werth.

Antonia. Tochter / Tochter! ich sehe dein Verderben vor Augen.

Selen. Frau Mutter! könnet ihr mir nicht helffen / so 15 hindert mich auffs wenigste nicht an meinem Glück. Jhr werdet anderwerts erfahren müssen / was euch nicht lieb ist.

Antonia. Wehe den Eltern / die ihre Töchterlein zusehr in der Jugend verzärteln!

20 Selene. Wehe den Töchtern / die nicht selber ihr bestes [7] suchen / und es auff der wunderlichen Mutter Vorsorge ankommen lassen.

Flaccilla. Sophia.

Flaccilla. Ach mein Kind! wenn ich dich entweder nie 25 gebohren hette / oder wenn du in meiner Schooß gestorben werest: wie vielem Hertzleid weren wir beyde zeitlich entkommen? was nützet aus hohem Geschlecht entsprossen seyn / wenn man nicht nur den Stand nicht führen / sondern auch das Leben nicht erhalten kan?

5 *vergebenes:* vorgegebenen, angeblichen.
9 *Stroh-Thaler:* wertlose Münzen aus der Kipper- und Wipperzeit des Dreißigjährigen Krieges.
16 *anderwerts:* sonst, anderenfalls.
26 *zeitlich:* beizeiten.

Sophia. Frau Mutter! es gehe so hart zu als es wolle; man bleibet dennoch nicht von GOtt verlassen.

Flaccilla. Was wollen wir anfangen? womit wollen wir uns erhalten? alle Mittel sind hinweg: Dein Mannbares Alter erfodert einen Bräutigam: Der Mangel aller Hülffe schneidet dir alle Hoffnung ab: deine Tugenden sind an diesem Orte ungangbare Müntze: Die grossen Versprechungen / dich zu befördern / werden zu Wasser? der Princessin / die dich in ihren Hoff vor diesem anzunehmen gesinnet / ist bereits eine andere auffgedrungen.

Sophia. GOtt sorget dennoch für uns / und hat mehr als ein Mittel / die Seinigen zu erhalten.

Flaccilla. Diese Worte füllen den Magen nicht / und tügen weder zu sieden noch zu braten. Wenn du jenem Edelman werest etwas besser an die Hand gegangen / oder noch gehen woltest / es stünde bequemer um mich und dich.

Sophia. Ha! Frau Mutter / lieber das Leben verlohren / als die Ehre: lieber Hunger gestorben / als die Keuschheit hindan gesetzt.

Flaccilla. Man muß aus der Noth eine Tugend machen. Solche grosse Worte stehen reichen Damen / nicht verlassenen Kindern / an. Wir haben zwey Tage [8] sonder Kirchen Gebot gefastet / und wissen noch heute weder Brod noch Zugemüse. Wir haben nichts zuverkauffen / nichts zu versetzen / haben beyde kein gutes Kleid / und alles / was du an dem Leibe trägest / ist mit Nadeln zusammen gestecket / als die Schindeln auff einem Kirchen Dache mit den Nägeln. Wo du an den Wind komst / so wehet er dir alle Flecke von der Haut. Was Rath bey diesem Zustand?

Sophia. Ach / meine Mutter! warum mir nicht eher ein Messer durch die Brüste gestecket / als mich ermahnet von der Tugend abzusetzen? Jst kein ander Mittel zu leben /

30 *Flecke:* Flicken, geflickte Lappen.

so lasset uns dienen! duͤncket euch diß in diesem Ort zu schaͤndlich / so lasset uns einen unbekandten suchen!

F l a c c i l l a. Fleug Vogel sonder Federn! Wo wollen wir uns hinmachen sonder Zehrung? werden wir so bald fuͤr Maͤgde angenommen werden / wenn wir uns nur anmelden? wer wird nicht dein Gesicht in Verdacht ziehen / und genau nach unserm Zustand forschen? Jch weiß wohl mein Kind / daß ich wider GOtt / und Stand / und dich thue / in dem ich auff solche Gedancken gerathe / aber der / dem das Wasser biß an die Lippen laufft / muß lernen schwimmen. Hetten wir indessen nur auff einen oder zwey Tage Vorrath / so koͤnten wir versuchen / ob und wie deinem Vorgeben nachzukommen.

S o p h i a. Wir haben nichts / als uns selbst zu versetzen oder zu verkauffen.

F l a c c i l l a. Auff dieses Pfand pflegt niemand nichts zu leihen / es verstehet sich zu geschwinde.

S o p h i a. Wohlan / ich habe noch etwas / daß ich ausser meiner Ehre wagen kan.

F l a c c i l l a. Du hast vielleicht einen verborgenen Schatz gefunden / und komst mir fuͤr / wie die Goldmacher / [9] die in hoͤchster Armuth von viel Tonnen Goldes zu reden wissen.

S o p h i a. Der Schatz ist offenbahr / ob er wohl nicht viel werth. Schneidet mir diese Haar von dem Haupt / und verkauffet sie irgens einer Hoff Damen.

F l a c c i l l a. Der Gewinn von dieser Kauffmanschafft wird so groß nicht seyn.

S o p h i a. Geringe Handelsleute muͤssen nicht gar zu grossen Gewinn hoffen. Loͤset mir die Flechten auff! Lasset uns hinein! denn die Noth leidet keinen Auffschub.

F l a c c i l l a. O hoͤchste Tugend! wie unwerth bist du in diesem Armuth / und wie ungeachtet in diesem Elend!

17 *verstehet sich:* wird abgestanden und damit wertlos.
27 *Kauffmanschafft:* Kaufobjekt, Ware.

Sempronius.

Αἰὼν πάντα φέρει, Sed omnia vincit Amor, Omnia, id est, omnes homines, & omnia pecora Campi, & nos cedamus Amori, saget das Wunder der Lateinischen Poeten Virgilius. Wer solte geglaͤubet haben / daß ich / der ich ein Wunder bin inter eruditos hujus seculi, und numehr meine fuͤnff und sechtzig Jahr cum summa reputatione erreichet / mich auffs neue solte per faces atque arcus Cupidinis haben uͤberwinden lassen? Ach Coelestina! ach Coelestina! tu mihi spes voti, tu mihi summus Amor, wenn ich deine rosenliebliche Wangen betrachte / werde ich verjuͤnget / als ein ander Phoenix. Aber quid haec suspiria solus montibus & sylvis? Virgilius Ecloga 2. Warum greiff ich nicht zu Mitteln / und versuche / was zu erhalten. Hasce amoris mei interpretes Epistolas, Cicero ad Atticum, habe ich heute fruͤh (Aurora Musis amica) mit hoͤchstem Judicio & ingenio zusammen gesetzet / und warte nur auff Gelegenheit / ihr selbige durch ein bequemes subject, wel-[10]ches sie kenne / zu uͤberantworten. Hir in der Naͤhe wohnet eine bequeme Frau die alte Cyrille, die sich gar gerne zu solchen Legationen gebrauchen laͤst / & nisi me fallit ani-

2–4 Αἰὼν ... *Amori:* Die Zeit bringt alles, doch alles überwindet die Liebe. Alles, das heißt, alle Menschen, alle Tiere des Waldes, auch wir weichen der Liebe. Vergil, *Ekloge* 10, 69.

6 *inter ... seculi:* unter den Gelehrten dieses Jahrhunderts.

7 *cum summa reputatione:* mit höchster Ehre.

8 *per ... arcus:* durch die Flammen und den Bogen des Liebesgottes.

10 *tu ... Amor:* Du Hoffnung meiner Wünsche, du meine höchste Liebe.

12 f. *quid ... sylvis:* Was sollen diese Seufzer den Bergen und Wäldern? Vergil, *Ekloge* 2, 4.5.

14 f. *Hasce ... Atticum:* Diese Briefe, diese Dolmetscher meiner Liebe. Cicero, Brief an Atticus.

16 *Aurora Musis amica:* Die Morgenröte ist der Musen Freundin.

16 f. *Judicio & ingenio:* Urteilskraft und Geistesschärfe.

21 *Legationen:* Botengängen.

21 f. *& nisi ... animus:* und wenn ich mich nicht irre.

mus, so ist dieses ihr Hauß. Sed eccum, illa ipsa prodit, last uns hören in hoc angulo, was vor excursus sie vorbringen werde.

Die alte Cyrille. Sempronius.

5 Cyrille. Kåtterle / schleuß das Haus wohl zu / und wo die Braut kommt / der ich rathen solte / so gib ihr das Wasser / wenn sie dir 3. Ducaten eingeliefert hat. Wird Don Diego nach mir fragen / so sage / daß ich in seinen Geschåfften ausgegangen bin. Es ist ietzt alles theur: die 10 Welt ist gar auff die Neige kommen: die Jungfern sind so geitzig / wie der Teuffel / und die Junge Gesellen haben lauter lauter Nichts in dem Beutel. Es ist gar eine ander Welt / als da ich noch jung war: die Liebe ist gar gestorben. Nun muß ich gehen und sehen / ob ich heute was ver-15 dienen kan. Nu das walte / der es walten kan. Matthes gang ein / Pilatus gang aus / ist eine arme Seele draus. Arme Seele wo kommst du her? Ach das ist ein trôstlich Gebet!

Sempron. Prolixam texit fabulam, interrumpam & allo-20 qvar. Bona dies, bona Dies!

Cyrille. Aus Regen und Wind / und aus dem feurigen Ring.

Sempron. Bona dies, Cyrille.

Cyrille. Was sagt Herr Jonipis, ô ja die is.

25 Sempron. Ha! Bestia / verstehestu nicht was ich sage?

Cyrille. Ja freylich bin ich die beste / es ist in der

1 *Sed . . . prodit:* Doch sieh, da kommt sie selbst!
2 *in hoc angulo*: in diesem Winkel.
excursus: Weitschweifigkeiten.
4 *Die alte Cyrille:* Nachfolgende Szene wurde z. T. wörtlich in die *Gelibte Dornrose* übernommen.
5 *wo:* wenn, falls.
15 f. *Matthes . . .:* Matthäus und Pilatus werden hier im Stile eines Volks- oder Zauberspruchs wie zwei Heilige nebeneinandergestellt.
19 f. *Prolixam . . . Dies:* Sie spinnt eine lange Geschichte. Ich werde sie unterbrechen und anreden: Guten Tag, guten Tag!

gantzen Stadt keine so redliche fromme Frau / Herr Criccronigs.

Sempron. Ego appellor Sempronius.

[11] Cyrille. Ob ich Semmeln oder Honig ha? Ne Herr Grigories, ich verkåuffe nicht mehr Obst und Nåscherey.

Sempron. Jch sage euch nicht von Semmeln oder Honig / sondern wůndsche euch einen guten Morgen.

Cyrille. Dem wird der Engel Uriel nehmen sein Horn / und blasen drein Tit titu.

Sempron. Was murmelt ihr?

Cyrille. Jch bete ein tro̊stlich Gebet vors Feber und bo̊se Wetter.

Sempron. Seponamus ista.

Cyrille. Ob ich Seiffe haben můste. Ja freylich lieber Herr Procrecriis. Die Wåsche kost viel Geld / man muß vor ein Muderhemdlin einen guten Groschen geben.

Sempron. Ey lasset uns diß beyseite setzen! ho̊ret nur / ich sage euch ἀληθῶς, purè.

Cyrille. Da soll euch der Teuffel dafůr holen / sagt ihr / daß ich eine alte Hure bin? das kan mir kein redlicher Mann mit gutem Gewissen nachreden / du alter graubårtiger ungehangener Dieb / du darffst mir nicht viel / ich gåte dir den Bart aus.

Sempron. Ey / ihr verstehet mich nicht recht / ich rede Griechisch und Lateinisch ἀληθῶς purè.

Cyrille. Saget mir nicht mehr von der alten Hure / oder ...

Sempron. ἀληθῶς, purè, das heist in der Warheit / ich

3 *Ego appellor:* Ich heiße.
4 *ha:* habe.
9 *Tit titu:* Lautmalerei, vgl. modern tatütata.
13 *Seponamus ista:* Lassen wir das beiseite.
16 *Muderhemdlin:* steifes Vorstecklätzchen am Mieder.
18 *ἀληθῶς, purè:* die reine Wahrheit.
22 f. *du darffst ... aus:* es bedarf nicht viel mehr, und ich reiße dir den Bart aus.

weiß doch wohl / daß ihr eine redliche Frau seyd; die gantze Stadt haud negat.

Cyrill. Daß ich mirs Haupt gebadt / was gehet der gantzen Stadt daran ab.

Sempron. Surdo narro fabulam.

Cyrille. Ey Herr / redt doch kein Polnisch mit mir / ich versteh euch nicht.

Sempron. Jch rede nicht Polnisch / ich rede Lateinisch.

Cyrille. Ey ihr seyd ein Doctoribus, und ich bin nicht [12] studiret, wozu dienet der Lateinische Unrath?

Sempron. Quid Gallo margaritam?

Cyrill. Ja im Keller ist Margrite.

Sempron. Eine Sau fragt nicht nach Muscaten.

Cyrill. Muscaten in warm Bier sind gut vor die Mutter-Krandkheit.

Sempron. καλῶς με ὑπέμνησας.

Cyrille. Ja wenn ich kalt aaß / so nisete ich.

Sempron. καταγέλας μου.

Cyrille. Ja die geele Kuh!

Sempron. Ey nun ad rem tandem.

Cyrille. Redet ich hab es verstanden.

Sempron. Hoͤret Frau Cyrille, ihr koͤnnet mir uͤbermassen befoͤrderlich seyn in einer Sachen / welche ist Grandis momenti.

Cyrille. Scheltet ihr von gotz Elementen? je Herr / es ist grosse bittre Suͤnde.

Sempron. Grandis momenti / heist eine Sache von Wichtigkeit. ἀλλὰ ταῦτα ἐάσωμεν.

2 *haud negat:* leugnet es nicht.
5 *Surdo narro fabulam:* Ich rede mit einer Tauben.
11 *Quid Gallo margaritam?* Was nützt die Perle dem Huhn?
16 καλῶς . . .: Du erinnerst mich wohl daran.
18 καταγέλας . . .: Du spottest meiner.
19 *geele:* gelbe.
20 *ad rem tandem:* endlich zur Sache!
23 f. *Grandis momenti:* von großer Wichtigkeit.
28 ἀλλὰ . . .: Doch lassen wir das beiseite.

Cyrille. Ja so meent ihr?
Sempron. Nein doch! planè non!
Cyrille. Jch bin keine Nonn.
Sempron. Hőret doch recht zu!
Cyrille. Ey Herr / so műst ihr reden / daß ich es verstehen kan.
Sempron. Jhr kennet Jungfrau Coelestinam wohl / nostin'?
Cyrill. Herr / sie wohnt nicht gegen Osten / es ist gerade gegen Mittag.
Sempron. An dieselbe habe ich einen Brieff von Importantz zu bestellen.
Cyrille. Habt ihr mit derselben einen Tantz zubestellen?
Sempron. Jch sage / daß ich ihr hanc Epistolam, diesen Brieff / gerne zustellen wolte.
Cyrille. Aber ist dieser gestolne Brieff vom Tantzen?
[13] Sempron. σχεδόν. Doch / er ist nicht vom tantzen / er ist vom lieben.
Cyrill. Aber wer hat den Brieff geschrieben?
Sempron. Ego.
Cyrill. Jch kenne den guten Mann nicht.
Sempron. Σεμπρόνιος πεποίηκα, das ist / ich in eigner Person.
Cyrille. Jhr Gelehrten habt wunderliche Nahmen. Aber stehet in dem Brieffe / daß ihr Jungfer Coelestinam liebhabt?
Sempron. Divinavit.
Cyrille. Die Jungfer hålt nichts vom Kőnig David.

2 *planè non:* durchaus nicht, keineswegs.
8 *nostin'* (Kurzform für novistine): hier: nicht wahr?
10 *Mittag:* Süden.
11 f. *Importantz:* Wichtigkeit.
14 *hanc Epistolam:* diesen Brief.
17 σχεδόν: Kaum.
20 *Ego:* Ich.
22 Σεμπρόνιος . . .*:* Ich, Sempronius, habe ihn verfertigt.
27 *Divinavit:* Sie hat's erraten!

Sempr. Meine wehrteste Zierde! redet mein bestes / was ihr in meinem Hause begehren werdet / das ist alles euch zu Dienst. Tua sunt, posce.

Cyrille. Wie sprechet ihr / Pfui Hund / huste? Herr Cecronius werdet ihr meine Jahre auff dem Halse haben ihr werdet genung husten.

Sempron. Jch sage darvon nicht / ich bitte / ihr wollet meine Sache bey Jungfrau Coelestina befördern / und ihr diesen Brieff de manu in manum überantworten.

Cyrill. Ha / ha / nu merck ich / wo der Hase liegt. Für wen seht ihr mich an? vor eine alte Kuppelhure? Solt ihr mir diß anmuthen? was hindert mich / daß ich nicht anfange Zeter zuruffen / muß ich diß auff meine alte Tage erleben? Ha! a! a! a! a! a!

Sempron. Ey Frau Cyrilla was bildet ihr euch ein? Meinet ihr / daß ich solche Sachen fürhabe? aliter catuli olent, aliter sues, sagt Plautus. ἄλλο κορώνη φθέγγεται.

Cyrille. Was? soll ich mich an Hals hängen?

Sempron. Ey nein doch / Jch bin ein ehrlich Mann / und ihr eine ehrliche Frau / und habe etwas ehrliches für / beschweret euch nicht mir in dieser Sach be-[14]hülfflich zu seyn. Jhr dürffet derowegen in euren Geschäfften nichts versäumen / und schauet / um daß ich euch den Morgen auffgehalten habe / und vielleicht verhindert / so nehmet diese zwey Ducaten / accipe.

Cyrille. Ach in Warheit Herr Kikilorius, ihr seyd ein lieber redlicher Herr / ihr sorget allein für das liebe Armuth. Euch zugefallen will ich gern den Gang auff mich nehmen. Einem andern thäte ichs bey meiner Seelen nicht. Wo habt ihr euren Brieff?

3 *Tua sunt, posce:* Ihr braucht nur zu bitten, und es gehört Euch.
9 *de manu in manum:* von Hand zu Hand, d. h. persönlich.
16 f. *aliter . . . sues:* Hunde riechen anders als Säue. Plautus, *Epidicus* IV, 2,9.
17 *ἄλλο . . .:* Anders schreit die Krähe.
20 f. *beschweret:* bemüht, belastet.
25 *accipe:* nehmt sie hin!

S e m p r o n. Dieser ists. Wie wolt ihr aber in das Hauß kommen / quis recludet tibi Januam, wer wird euch das Schloß eroͤffnen?

C y r i l l e. Kuͤmmert euch nicht / kuͤmmert euch nicht! last mich nur machen; Frauen List / uͤber alle List. Jch will Flachs oder Schleyer Leinwand hin zuverkauffen tragen / oder schon sonst was erdencken.

S e m p r o n. Bringet ihr mir gute Antwort wieder / so sollet ihr einen neuen Rock haben / und solt gekleidet werden à vertice ad talos.

C y r i l l e. Viertzig Thaler die sind gut mit zu einem neuen Rock. Nu / nu Herr Senckelhorius / es wird sich wohl schicken; Jch gehe gleich drauff zu.

S e m p r o n. Darauff verlasse ich mich. Vale basilicè, athleticè, pancraticè, ἔρρωσο ἐυδαιμόνως, das heist / guten Morgen.

C y r i l l e. GOtt der HErr bewahre euch. Das ist ein gut Gluͤck gewesen: Der Segen hat geholffen: es war doch in einem Wege mit zu Jungfer Sophien. Nu last uns weiter: Die heilige Sanct Margritte / die bitt ich / daß sie mich behuͤte / fuͤr Puͤffen / Fallen und vor Schlaͤgen / auff allen meinen Wegen. Ach du lieber heiliger Sqventz, bewahre mir Huͤner und Gaͤns.

2 *quis . . . Januam:* wer wird Euch die Tür öffnen?
10 *à vertice ad talos:* vom Scheitel bis zur Sohle.
11 *mit:* mitzunehmen, passend.
14 f. *Vale . . .:* Lebet königlich, ungeheuer, riesig wohl! Laßt es Euch gut gehen!

[15] Die andere Abhandelung.

Horribilicribrifax Donnerkeil. Harpax sein Page.

Horrib. WAs? daß der Keyser Friede gemacht habe sonder mich um Rath zu fragen? Oh gvarta! novella de spiritare il mondo!

Page. So sagen sie / daß der Keyser Frieden gemacht habe mit dem Kônig in Schwaben.

Horrib. Mit dem Kônig in Schweden wilst du sagen?

Page. Ja Schweden oder Schwaben / es ist mir eins.

Horrib. Friede zu machen sonder mich? a qvaesto modo si! hat er nicht alle seine Victorien mir zu dancken? hab ich nicht den Kônig in Schweden niedergeschossen? bin ich nicht Ursach / daß die Schlacht vor Nôrdlingen erhalten? habe ich nicht den Sachsen sein Land eingenommen? hab ich nicht in Dennemarck solche reputation eingelegt? was wer es auff dem Weissen Berge gewesen / sonder mich? E che fama non m'acquistai, quando contesi col Gran Turca? Pfui! trit mir aus den Augen / denn ich erzûrne mich zu tode / wo ich mich recht erbittere / Vinto dal ira calda e bollente e dallo sdegno arrabiato, so erwische ich den Stephans-Thurm zu Wien bey der Spitzen / und drûck ihn so hart darnieder / si forte in terra, daß sich die gantze Welt mit demselben umkehret / als eine Kegel-Kaul.

Page. Ey / Signor mio. wo wolten wir denn stehen bleiben?

Horrib. Non temere! Als wenn sich iemand kûmmern

4 f. *Oh . . . mondo:* Sieh, das ist eine Nachricht, um die Welt toll zu machen!
10 f. *a qvaesto modo si:* auf diese Art und Weise!
16 *wer:* wäre.
sonder: ohne.
17 f. *E che . . . Turca:* Und was habe ich nicht im Kampf mit dem Großtürken für Ruhm errungen?
19 f. *Vinto . . . arrabiato:* von heißem, siedendem Zorn übermannt und wutentbrannt.
22 *si forte in terra:* so stark in die Erde.
23 *Kegel-Kaul:* Kegelkugel.
25 *Non temere:* Keine Angst!

důrffte / der bey mir stehet! laß mich darvor sorgen! aber / siehe da / meine Sonne! mein Leben! [16] meine Gőttin erscheinet. Signora mia, bella di corpo, bellissima d'animo!

Coelestina. Camilla. Horribilicribrifax. Der Page.

Coelestina. Jsts mőglich Camilla, daß so inbrůnstige Liebe / die ich zu ihm trage / můsse vergebens seyn? oder ist er aus allen lőblichen Gemůhtes Neigungen der einigen nicht fåhig / welche man die Gegen-Liebe nennet? Muß ich / die ich vor diesen vielen bin unerbittlich gewesen / nun erfahren / daß ich von dem nicht geachtet werde / den ich hőher halte / als mein Leben?

Camilla. Wenn er seine Gedancken anderswo hingesetzet / wie kőnnen wir ihn bewegen / nach uns zu sehen?

Coelestina. Seine Gedancken anderswo hingesetzet? wird Er wohl mehr auffrichtige und reinere Liebe finden kőnnen / als bey mir?

Camilla. Warum nicht eben also / wie er gespielet? Solte ich mich wegen eines Menschen so hefftig kråncken / dem ich unwerth / oder der nicht so viel Verstand bey sich hat / als nőthig / eine keusche Gewogenheit zu erkennen?

Coelest. O wiewohl kőnnen wir Rath geben / wenn wir selber gesund seyn!

Camilla. Still meine Jungfrau! der Hauptmann ist verhanden.

Coelest. Jch habe diesen Tag ein gewisses Unglůck zu verhoffen / weil mir der Vogel zu erst entgegen kommt.

Horrib. Nobilissima Dea, Cortesissima Nimfa. Ochio del mondo. Durchleuchtigste unter allen schőnen; berůhm-

3 f. *Signora . . . d'animo:* Meine Herrin, schön an Körper, schöner noch an Geist.

24 f. *verhanden:* zugegen.

28 f. *Nobilissima . . . mondo:* Edelste Göttin, reizendste Nymphe, Auge der Welt.

teste unter den fuͤrtrefflichsten / uͤbernatuͤrlichste an Vollkommenheit / unuͤberwindlichste an Tugenden / euer unterthaͤnigster Leib-[17]eigner Sclav', der durch die Weltberuͤhmete Capitain Horribilicribrifax von Donnerkeil / Herr auff Blitzen und Erbsaß auff Carthaunen Knall / praesentiret / nebenst Verwuͤndschung unsterblicher Gluͤckseligkeit / seiner Keyserin bey angehendem Morgen seine zwar wenige / doch jederzeit bereitwilligste Dienste!

Coelest. Mein Herr Capitain, er muß uns so gewogen nicht seyn / wie er vorgibt / sintemahl er uns so bald den Tod wuͤndscht.

Horrib. Den Tod? La morte? Io rimango petrificato dalla meraviglia! Ey da behuͤte mich der Blitz von diesem glorwuͤrdigsten Degen fuͤr dergleichen Gotteslaͤsterung!

Coelest. Er verwuͤndschte uns unsterbliche Gluͤckseligkeit.

Horrib. Certo si. Nicht anders.

Coelest. Selbige erlangen wir / wie ich weiß in dem ewigen Leben. Dazu aber koͤnnen wir nicht eingehen / als durch den Tod.

Horrib. Meine schoͤne ist unuͤberwuͤndlich so an Scharffsinnigkeit / als Schoͤnheit. Quella fu buonissima e sapientissima dimostratione!

Camilla. Mein Herr Capitain liebet meine Jungfrau mit diesem Bedinge / daß sie bald sterbe: so wuͤrde er Erbe ihrer Guͤter / und theilete den Raub aus.

Horrib. Ha Jungfrau Camilla, also mit mir zu spotten? il vostro fù un ragiona troppo mordente. Sie kennet mein

6 *Verwuͤndschung:* Wunsch.
12 f. *La morte . . . meraviglia:* Den Tod? Ich bin versteinert vor Erstaunen!
17 *Certo si:* Natürlich!
21 *so:* sowohl.
22 f. *Quella . . . dimostratione:* Das war eine ausgezeichnete und ungemein kluge Beweisführung.
28 *il vostro fù un ragiona* (für ital. una ragione) . . . *mordente:* Das war eine allzu beißende Begründung.

auffrichtig Gemůthe / und weiß / wie fest ich in Liebe gegen meine Englische Coelestinam verbunden stehe. Wenn mich nicht ihre Gegenwart allhier auffhielte / håtten die Venetier långst den Tůrcken durch mich aus Constantinopel vertrieben.

Coelest. Mein Herr Capitain, wir entschlagen euch dieses [18] Arrests, des gemeinen Bestens wegen. Wir wollen nicht Ursach seyn / daß so eine schône Gelegenheit das Christenthum zu befôrdern hindan gesetzet werde.

Horrib. Fermate vi in cortesia & ascoltate mi per vostro bene, Anima mia! Meine himmlische! wil sie ein Probstůck meiner Stårcke sehen / sie sage nur ein Wort / ich wil eine grôssere That verrichten / als die Victorie vor Lepante auff der See gewesen.

Coelest. Hat sich mein Herr Capitain auch bey selben so berůhmten Treffen befunden?

Horrib. Jch war damahls des Don Gionanne, Austria Luogotenente.

Coelest. So muß mein Herr eines ziemlichen Alters seyn / weil dieselbe Victori noch vor unser Großvåter Zeiten erhalten ist?

Horrib. Ey es ist so lange nicht / ich bin noch Assai Giovane e Galant huomo gagliardo, robusto e di buona natura, um sie meinen Engel zu bedienen!

Coelest. Mein Herr Capitain, Jch bin so grosser Ehren nicht wůrdig.

2 *Englische:* engelhafte.
6 f. *entschlagen . . . Arrests:* befreien Euch von dieser Abhaltung.
10 f. *Fermate . . . mia:* Bitte bleibt und hört mich an zu Eurem eigenen Vorteil, meine Geliebte.
13 *Lepante:* Seesieg der kaiserlichen Flotte über die Türken bei Lepanto 1571.
17 *Don Gionanne* (aus Juan und Giovanni): Don Juan von Österreich, natürlicher Sohn Karls V., Heerführer, Sieger von Lepanto.
18 *Luogotenente:* wörtlich: Statthalter, hier: Adjutant.
22–24 *Assai . . . natura:* ziemlich jung, ein tapferer Edelmann, stark und gutherzig von Natur.

Horrib. Meine Princessin / unico spechio di bellezza, Regina de gli astri, miraculo de i cieli, & honor della natura, wil sie Keyserin von Trapezont, Kônigin von Morenland / Fûrstin von Egypten.

Camilla. Churfûrstin von neu Zembla, und Grâfin von Nirgendsheim.

Horrib. Anzi Hertzogin ûber Persen genennet werden? sie gebiethe! all diese Kronen sollen inner einem Monat / drey Tagen und zwey Stunden / und vielleicht in qvaesto giorno, zu ihren Fûssen liegen.

Coelest. Mich wundert / Herr Capitain daß er nicht selbst fûr sich etliche aus gedachten Kônigreichen in Besitz genommen!

Horrib. Ha! l'Honore e l'Avaritia non possono star in-[19]sieme! Jch bin allein vergnûgt mit meinem Glûck und Degen / als mit welchem ich alles kan zuwege bringen.

Camilla. Das ist gut / daß man alles kan darmit zuwege bringen: unser Koch weiß sonsten aus Degen keine Pasteten zu machen.

Coelest. Uns genûget / Herr Capitain an unserm Stande.

Horrib. Finalmente: wil meine Gôttin sich anbeten lassen? sie wincke nur / sie soll mich stracks mit dem gûldenen Rauchfaß fûr ihr auff den Knien sehen.

Camilla. Der Herr Capitain hâlt meine Jungfrau fûr eine heilige auff dem Altar einer Kirchen.

Horrib. Fûr eine Heilige in meinem Hertzen / non è cosa più chiara, wil sie / daß ich ihr zu Ehren auff der Spitze eines Dachs nach dem Ringe reite?

1 f. *unico ... natura:* einziges Abbild der Schönheit, Königin der Sterne, Wunder der Himmel, Zierde der Natur.

5 *neu Zembla:* Nowaja Semlja, erst 1594 entdeckte Insel vor der russischen Arktikküste; daher für die Zeitgenossen (auch in *Peter Squentz*) der Inbegriff eines irrealen Fabellandes.

7 *Anzi:* Oder vielmehr.

9 f. *in qvaesto giorno:* noch heute.

12 *gedachten:* vorerwähnten.

14 f. *l'Honore ... insieme:* Ehre und Habsucht vertragen sich nicht.

21 *Finalmente:* Und schließlich.

26 f. *non ... chiara:* nichts könnte klarer sein.

Coelest. Jch liebe meines Herrn Gefahr nicht.

Horrib. Wil sie / daß ich einen grimmigen Löwen im vollem Lauff erwische / und ihm in ihrem Angesicht den Hals abreisse. Cosi sarà per certo.

Camill. Hasen / Herr Capitain, weren besser.

Coelest. Einen Löwen / Herr Capitain, solte diß wohl möglich seyn?

Page. O / mein Herr hat wol grössere Thaten verrichtet; wenn ich erzehlen solte / was er einmahl auff der Jagt mit dem König in Persen zuwege gebracht; es würde weit anders lauten.

Camilla. Ey ein schönes Paar zusammen! so Herr / so Knecht!

Coelest. Lieber / last uns hören / was es für eine Helden-That gewesen!

Horrib. Ob ich wohl in meiner Gegenwart mich ungern rühmen lasse / auch meine Diener derowegen nicht halte / dennoch weil es mein Engel zu wissen begehret / geb ich dir Freyheit dieses zu erzehlen. dite purè.

[20] Page. Der König hatte die Ehre meinen Capitain neben sich auff die Jagt zu führen. Das Wild wurd angetroffen / die Jäger eileten so hir als dar zusammen / der Perß aber traff auff einen sehr grossen Hirschen. Mein Herr verfolgete denselben nebenst dem Könige: Doch umsonst / weil er zu hurtig auff die Füsse / und die Pferde allbereits zu müde.

Camilla. O weide Messer! O Jägerrecht!

Page. Als der Perß etliche Pfeile vergebens abgehen lassen / ergrimmte mein Capitain, daß er das Jägerhorn von seinem Halse rieß / und mit demselben nach dem Hirschen warff.

Camilla. Damit wird er ihm zweiffels ohn das Gewichte in Stücken zerschmissen haben.

4 *Cosi . . . certo:* So wird's bestimmt geschehen.
19 *dite purè:* Erzähle nur!
32 *Gewichte:* Geweih.

Page. Gefehlt Jungfrau Camilla! Denn das Horn flog just dem Hirsch zum Hindern hinein / und weil das Wild in vollen Fartzen war / gab es so ein wunderlich Getöne / daß alle Hunde herzu gelauffen kamen / und den Hirschen anhielten / also ward das Wild gefället.

Coelestina und Camilla fangen an zu lachen.

Horrib. Du ungehobelter Galgenschwengel / Cane odioso! Furfante! Scimia di Barbaria, solst du deinen Herrn also schimpffen!

Coelest. Ey Herr Capitain, er erzürne sich nicht.

Horrib. Wenn ich nicht meines Lebens Einrede gelten liesse / so wolte ich dich / al primo colpo, mit dem Stabe zwölff Ellen tieff in diese Mauren jagen / daß nichts von dir hier / ohn der rechte Arm / zusehen seyn solte mit welchem du den Hut abziehen köntest / wenn mein Engel etwa vorüber gienge.

Coelest. Herr Capitain, ich bitte um Verzeihung / daß ich ihm für dieses mahl nicht länger Gesellschafft halten kan.

Horrib. Meine Schöne wird zum wenigsten mir zulassen [21] sie zubegleiten. Sò che lo potete fare, per la commodita mia.

Coelest. Für diesesmal bitte ich zum höchsten um Entschuldigung.

Horrib. Adio dann wenn es ja nicht anders seyn kan / mein Engel / Adio meine Göttin / Adio mein Auffenthalt / Adio mio bene, adio mia gloria, adio donna Celeste! adio!

7 f. *Cane . . . Barbaria:* Stinkender Hund! Spitzbube! Roher Affe!
12 *al primo colpo:* mit dem ersten Hieb.
21 f. *Sò . . . mia:* Ich weiß, daß Ihr mir diesen Gefallen tun könnt.
26 *Auffenthalt:* Trost, Freude.

Palladius. Coelestina. Camilla.

Coelest. GOtt lob / daß wir des verdrůßlichen Menschen loß worden!

Camilla. Kőnt auch iemanden seines gleichen in dem Traum vorkommen?

Coelest. Diß ist unertråglich / daß er nicht verstehen will / daß weder Gunst noch Liebe fůr ihn zu finden sey. Trit zurůck! Palladius ist verhanden! O daß nu meine Augen reden kőnten.

Camilla. Es ist doch vergebens! Meine Jungfrau ist bey ihm in so grossem Ansehen / als ich bey dem Printzen von Peru.

Coelest. Jch hoffe durch Standhafftigkeit meiner Liebe ihn zugewinnen.

Palladius. Jn dem ich mich auffhalte und bemůhe andern zu rathen / vergesse ich meiner selbst. Herr Possidonius hat mir schier die Zeit gantz zu nichte gemacht / welche ich viel lieber mit dieser zugebracht håtte / welche meine Seele gefangen hålt. Doch was versåumt / ist nicht wieder zu holen! Jch wil nur bald zu ihr mich begeben / ehe mir ein ander Hindernůß vorkommen mőchte: aber schau / von dem Regen in die Trauffe! Coelestina kommet mir so recht entgegen / als wenn sie bestellet were / mir etwas in den Weg zulegen. Was thu ich nun? kehr ich um? diß solte zu rauhe scheinen. Jch wil nur fůrůber / und sie mit kurtzen Worten [22] abfertigen. Der Jungfrauen meine Dienst!

Coelest. Ach mein Herr Palladi, wie ist er so freygebig mit Dienst-Anbittungen / und so fest mit der Liefferung!

Pallad. Was ich der Jungfrauen versprochen / und verspreche / bin ich stets willig zu leisten / ob mir wohl bewust / daß ihr an meinen geringschåtzigen Diensten wenig oder nichts gelegen.

29 *fest:* zurückhaltend, unbeweglich.

Coelest. Die mag sich wohl seelig schätzen / welche seiner Dienste geniessen kan. Jch selbst wolte mir für die höchste Ehre achten / mit derselben umzugehn / so würde ich vielleicht ihrer Glückseligkeit in etwas theilhafftig.

Pallad. Die Jungfrauen halten für ihre Lust / mit uns ein wenig zu schertzen / und wir für unsere Ehr / von ihnen umgeführet zu werden.

Coelest. Und mein Herr Palladius für seine Ergetzligkeit mit uns zuspotten.

Pallad. Bey mir ist Hertz und Zunge in guter Vertreuligkeit. Sie reden beyde eine Sprache. Jch bitte um Verzeihung / höchstwehrteste Jungfrau / daß ich dieselbe in ihren Gedancken verstöret; und befehle mich in dero stetsblühende Gewogenheit.

Coelest. Ey Herr Palladi, er eile doch nicht so hefftig! befiehlet er sich in meine Gunst / und wil mir seine Gegenwart nicht einen Augenblick vergönnen!

Pallad. Jch fürchte der Jungfrauen durch mein unnützes Geschwätz beschwerlich zu seyn / und dadurch ihrer Gunst gantz entsetzet zu werden.

Coelest. Jch wil ihn versichern / daß er die Gunst / die ich zu ihm trage / nimmermehr verlieren kan! So wenig / als ich die jenige / die er zu mir trägt!

Pallad. Jch verstehe nicht / was für ein Geheimnüß hinter diesen Worten stecke.

Coelest. Der Herr sage: er wolle es nicht verstehen. Diese Gunst / die ich zu ihm trage / zu verlieren ist mir unmöglich / weil sie zu tieff in mein Hertz einge-[23]wurtzelt: Seine gegen mir kan er nicht verlieren / weil er sie noch niemals gehabt.

Pallad. Wie solte es denn meine Gunst seyn / wenn ich sie niemals gehabt hätte.

Coelest. Er hat Gunst genug / aber für eine / die derselben nicht würdig ist.

7 *umgeführet:* angeführt, an der Nase herumgeführt.
20 *entsetzet:* verlustig.

P a l l a d. Wenn sie gegenwertig were / wolten wir sie darüber vernehmen: unterdessen erkenne ich noch / daß ich Jungfrau Coelestine Gunst niemals würdig gewesen: nichts weniger wil ich mich bemühen selbige zuverdienen / und verbleibe der Jungfrauen stetswilligster!

C o e l e s t. Noch ein Wort / Herr Palladi.

P a l l a d. Die Jungfrau verzeih / ich seh daß eine Person sie ansprechen wil! Sie fahre wohl.

C o e l e s t. Wie kaltsinnig zeucht er darvon.
Ach! Camilla, Camilla, wie schmertzlich ists auff unfruchtbaren Sand säen!

C a m i l l a. Sie liebe / was sie liebet / und lasse fahren / was nicht bleiben wil.

Die alte Cyrilla.

Deus meus. der heilige Sanct Andereus! beschere uns ein gutes Jahr / und guten Abgang zu meiner Wahr / Amen. Hodie tibi, cras sibi, Sanct Paulus, Sanct Bartholomeus, Die zween Söhne Zebedaeus, der heilige Sanct Wenzel / und der Seelige Stenzel, die seyn gut vors kalte Weh / und behüten für Donner und Schnee. Nu / ich bin bey Jungfer Sophien gewest / und habe Vögel gesucht in einem leeren Nest: Die wil nichts von Don Diego wissen und hören. Wenn ich so schöne wår / als sie / ich wolte meiner Zeit besser warnehmen: es kåme doch hernach ein einfältig Schaaff / daß mich unter der Musterung durchgehen lisse. Nun wir woln sehn / wies bey Coele-[24]stinen gehen wird. Sie ist schöne / sie ist reich / sie ist jung / und

16 *Wahr:* nach Powell Vertrag; hier jedoch vermutlich Wehr, Schutz, Bewahrung.
17 *Hodie . . . sibi:* Heute dir, morgen ihm.
19 *Stenzel:* Stanislaus.
kalte Weh: Rheuma, Malaria, Eintagsfieber (Jacob Grimm, *Deutsches Wörterbuch*, Bd. 14,1,1, Leipzig 1955, Sp. 33 f.).

schoffert allein in ihrem Kopff. Nach dem alten Ceremonigis wird sie wohl nicht sehen / wo nicht seyn Geld was zu wege bringt. Doch / die Liebe ist blind / und fält wie die Sonne / so bald auff eine Grase Mücke / als auff 5 ein liebes Kind. Last sehen! hier wohnt sie: ich wil anklopffen. *(Sie klopfft).*

Camilla. Coelestina. Cyrilla.
Die Pagen und Gesinde von Coelestina.

Camilla. Wer klopfft?
10 Cyrilla. INRI. Memnentau mauri.
Camilla. Wer klopfft?
Cyrilla. Ein gute Freundin / liebe Jungfer.
Camilla. Verziehet / ich thue auff. Was bringet ihr / Frau Cyrilla?
Cyrilla. Nicht gar zu viel Jungfer Simille. Jst Jungfer Coelestine nicht anzutreffen?
Camilla. Habt ihr etwas anzumelden?
Cyrilla. Jch habe etliche Stücke schöne Spitzen zu verkauffen.
Camilla. Jch wil sie heraußer fodern.
Cyrilla. Geht / geht / geschwinde geht / liebes Kind! Die heilgen sieben Planeten / die trösten uns in allen Nöthen! Haccus, Maccus, Baccus, die heiligen Wort / die bewahren uns in allem Ort!
Coelestin. Willkommen Frau Cyrilla! was bringet ihr uns guts neues?
Cyrilla. O liebes Kind! ach eure Mutter war eine from-

1 *schoffert allein:* urteilt unabhängig; schaltet nach ihrem Willen.
1 f. *Ceremonigis:* Gemeint ist Sempronius.
10 *INRI:* nach Palm »eine Zusammenziehung der Anfangsbuchstaben irgendeiner Floskel«. Es handelt sich jedoch um die Kreuzesinschrift (Abk. für: Iesus Nazarenus Rex Iudaeorum): Jesus aus Nazareth, König der Juden.
Memnentau mauri (verballhornt aus lat. memento mori): Gedenke des Todes!

me redliche Frau! O GOtt sey ihrer Seelen genådig! O was hat sie mir guts gethan! ihr gleicht ihr so eben / als wenn ihr ihr auß den Augen geschnitten [25] wåret. O liebes Kind! liebes Kind! welch eine gute Zeit war damals.

Coelest. Weinet nicht / weinet nicht / Frau Cyrilla.

Cyrilla. Seht es ist nu alles theur / man kauffet ein Stein Flachs um einen Thaler / den man da um achtzehn gute Groschen kriegte.

Coelest. Man hat mir gesagt / ihr brachtet was zuverkauffen. Wolt ihr uns nicht euren Kram sehen lassen.

Cyrilla. O ja: gar gerne. Harret nur / ich wil die Brillen auffsetzen. Denn sehet / ich bin etwas übersichtig und habe trieffende Augen! Seht / wie gefallen euch diese Spitzen? es ist recht Brabandisch Gut.

Coelest. So måssig! habet ihr nur dieser Gattung?

Cyrilla. Nein / ich habe noch unterschiedene: das Hertzgen / zwey Hertzgen / das Hertzgen mit dem Pfeil / das Toden Köppigen / das HasenZånichen.

Coelest. Wie theur die Elle von dieser Gattung?

Cyrilla. Nicht nåher als um fünff Gülden / sechs Groschen.

Coelest. Und von dieser Art?

Cyrilla. Diese kostet mit einem Wort / achtzehn Gülden und vierzehn Groschen.

Coelest. Ey / Frau Cyrilla, ihr seyd viel zu theur.

Cyrilla. Die Lilie wil ich euch um zehn Gülden lassen.

Coelest. Zehn Gülden / und nicht mehr geb ich für die gedoppelten Hertzgen. Die Lilie ist nicht sechse werth.

Cyrilla. Ey / Jungfer Coelestine, wo wolte ich hin? ich würde zu einer armen Frauen dabey. Gebt eilff Gülden und ein halben für die gedoppelten Hertzen! So eine reiche Jungfer muß nicht so genau dingen! Unser HErr GOtt segnet sie denn wieder mit einem reichen Manne.

16 f. *das Hertzgen . . .:* Namen von Spitzenmustern.
20 *nåher:* weniger, billiger.
32 *dingen:* handeln, rechnen.

C o e l e s t. Jhr schertzet / Cyrilla. Nun / daß wir zu einem [26] Ende kommen; Eilff Gůlden wil ich geben.
C y r i l l a. Gebet noch die fůnff Groschen dazu.
C o e l e s t. Nicht einen Heller mehr.
5 C y r i l l a. Nun / nun! um eines andernmahls Willen. Wie viel Elen wolt ihr haben.
C o e l e s t. Jch wil das gantze Stůck behalten. Wie viel helt es?
C y r i l l a. Gleich achtzehn Elen und eine halbe; das macht 10 gerade 203. Gůlden / und ein halben. Sehet / ich wils euch in den Fingern her rechnen. Ein Elle ist 11. Gůlden. 2. Elen sind 22. Gůlden. 4. Elen 44. Gůlden. 8. Elen 88. Gůlden. 16. Elen 176. Gůlden. Nu die ůbrigen zwo Elen sein wieder 22. Gůlden. Die zu den vorigen gerechnet / 15 machet 198. nu bleibet noch die halbe Ele vor sechste halbe Gůlden. Wenn wir die nu zu der vorigen Summe nehmen / so macht es gar zusammen / wie ich vor sagte 203. und ein halben Gůlden.
C o e l e s t. Hie habt ihr Geld.
20 C y r i l l a. Drey / sechs / neun / zwȯlff / funfftzehn. Jst der Ducaten auch wichtig?
C o e l e s t. Es ist abgewogen Gold.
C y r i l l a. Seht liebes Kind / alte Leute die irren sich leichtlich / achtzen / ein vnd zwantzig / vier und zwant- 25 zig / sieben und zwantzig / dreissig / dar mangelt einer.
C o e l e s t. zehlet noch einmahl / ich habe recht gezehlet.
C y r i l l a. Es ist war: Ungrische Gůlden soll man zweymal zehlen. Fůnffe / 10. 15. 20. 25. 30. 33. 1. Reißthaler / ein halben Reißthaler / ein Gůlden. O Hertzes Kind / habt 30 mirs ja nicht vorůbel! ich bin so was vergeßlich: ich muß das Gold in die Tasche schliessen.
C o e l e s t. Camilla, hole mir die Ele.

21 *wichtig:* d. h. hat er volles Gewicht?
27 *Ungrische Gůlden:* Gryphius kritisiert hier die Konfusion der Währungen, die Handel und Wandel erschwerte.
28 *Reißthaler:* Wortspiel auf Reichstaler.

Cyrilla. Meine liebe Jungfrau / weil wir so alleine sind / muß ich euch was erzehlen. Wenn ihr es nur nicht woltet ůbel oder auffs årgste außlegen.

[27] Coelest. Nein gar nicht. Erzehlet frey / was ihr wollet! 5

Cyrill. Als ich heute außgehen wolte / ist mir ein Herr begegnet / der euch freundlich durch mich grůssen låst.

Coelest. So weit.

Cyrill. Ein feiner reicher Mann / der ůbermassen in euch verliebet ist. 10

Coelest. Wie heist Er?

Cyrill. Jhr werdet es wohl aus diesem Brieffe sehen.

Coelest. Wo ist der Brieff?

Cyrilla. Hier hab ich ihn in dem Aermel stecken. O Hertzes Kind / euch wird wohl mit dem Manne gerathen 15 seyn.

Camilla. Jungfrau Coelestina, hier bring ich die Elle.

Cyrilla. Wolt ihr die Spitzen messen?

Coelest. Camilla ruffe mir stracks den Pagen und das Gesinde hervor! Jch wil dir alten Kuppelhuren den Růcken 20 mit Průgeln messen lassen: und wenn ich deiner grauen Haare nicht schonete / solten dir die Ohren so weit von einander genagelt werden / daß man sie mit zweyhundert Klafftern Bindfaden nicht solte zusammen knůpffen kǒnnen. 25

Camilla *(Mit dem Gesinde)*. Wie ists meine Jungfrau? ist die Maß nicht vollkommen?

Coelest. Soltest du altes Rabenfell dich unterstehen mit derogleichen Schandbrieffen fůr mein Gesicht zu treten. 30

Camilla. Frau Cyrilla! Heist dieses Spitzen verkaufft?

Coelest. Schmieret die alte Hexe zum tůgen ab / daß andere eine Abscheu nehmen derogleichen zu begehen.

Coelestina gehet davon.

32 *zum tůgen:* tüchtig, ordentlich.

Page. Wir wollen dem Befehl schon ein Genůgen thun. Alte Hexe / was macht der Teuffel?

Cyrilla. Nu / nu / last mir meine Můtze / ihr werdet mir die Schaub in Stůcken reissen. A! meine Tasche / meine Tasche / mein Korb.

[28] Der ander Page. Schau / das alte Ungeheur hat eine Peruqve auffgesetzet.

Cyrilla. A! gebt mir meine Tasche wieder.

Page. Still / wir wollen ihr einen Bart von Pech anschmieren.

Cyrilla. A! meine Tasche! meine Tasche!

Camilla. Gebet ihr die Tasche / und lasset sie vor den Teuffel lauffen!

Die Pagen schmieren sie um und um mit Koth / und gehen mit Camilla davon.

Cyrilla *(bleibet stehen / wischet die Augen ab / und fåhret redent fort)*: Ach mein Kopff! mein Bauch! mein Růcken! O mein Schleyer / meine Můtze! mein Kőrblin ist gar in Stůcken. Hab ich auch noch meine Spitzen gar / 1. 2. 3. 4. 5. 8. 12. Stůck; ja das heist Brieffe getragen. Aber schaut / dort komt Don Diego, der muß mirs wohl bezahlen.

Don Diego. Cyrilla.

Don Diego. Der Kopff thut mir weh ůber dem unmåßigen Auffschneiden unseres Capitains, welcher doch in Warheit nicht anders ist / als ein gehelmeter Hase; wer ihn reden hőret / meinet er were der ander Hercules, oder der grosse Roland. So bald er aber in eine occasion gerathen / wil er fůr Furcht gar zu trieffen. An itzo weil er

4 *Schaub:* Mantel, Überrock.
26 *gehelmeter Hase:* bewaffneter Feigling.
27 *Hercules:* Held der griechischen Mythologie.
28 *Roland:* altfranzösischer Sagenheld.
occasion: Situation, Lage.
29 *zu trieffen:* zertriefen, zerschmelzen.

sich fertig macht seine Selenisse zu besuchen / hab ich mich von ihm weg gestolen / in Meynung allhier der alten Cyrille zu erwarten. Welche ich nu zu unterschiedenen mahlen abgefertiget Jungfer Sophien zu ůberreden.

Cyrilla *(Heulende):* Ja Jungfer Sophien zu ůberreden. 5

Don. Dieg. Was potz hundert ist dieses? wo seyd ihr so ůbel angelauffen / Frau Cyrilla.

[29] Cyrille. Jch wolte noch wohl fragen / sehet nur wie mich eure Sophia abgewůrtzet hat!

Don Diego. Sie weiß wohl / daß besser Wůrtze an euch verlohren ist. 10

Cyrill. Ja / und ihr wolt mich noch darzu auslachen!

Diego. Wie das Fleisch ist / so ist der Pfeffer! aber ich kan kaum glauben / daß Sophia so unbarmhertzig mit euch umgegangen. 15

Cyrilla. Welcher Teuffel solle es sonst gethan haben / hat sie nicht Leute gnug bey sich im Hause / die sich ihrer annehmen.

Diego. Sie wohnet ja mit ihrer Mutter gantz alleine.

Cyrill. Was weiß ich / wer stets bey ihr stecket / sehet nur ich speye Blut. *(Sie reuspert sich).* 20

Diego. Purgiere dich Teuffel / friß Flechtenmacher / scheiß Siedeschneider / wische den Ars an Feuermeuerkehrer.

Cyrille. Ja was hab ich nu darvon als Stanck und Undanck. 25

Diego. Wer nicht recht spielen kan / dem schlåget man die Lauten an dem Kopffe entzwey.

Cyrill. Das dacht ich.

Diego. Seyd zu frieden / seyd zu frieden / Mutter Cyrill, und folget mir! ich will euch schon Satisfaction thun. 30

9 *abgewůrtzet:* abgekanzelt, ausgescholten.

22–24 *Purgiere . . .:* Diego erfindet hier einen komischen Exorzismus-Zauberspruch.

23 *Siedeschneider:* mit kochendem Wasser abgebrühtes Viehfutter, wie z. B. Häcksel (Jacob Grimm, *Deutsches Wörterbuch*, Bd. 10,1, Leipzig 1905, Sp. 882).

23 f. *Feuermeuerkehrer:* Schornsteinfeger.

Cyrill. Gehet voran; ich wil euch folgen. Wenn mich iemand sehen wird / muß ich sagen / ich sey so gefallen. Dar ist sen in dem Walde ein Roͤßlein roth / das hat sen geschaffen der liebe GOTT / O trauriges Leben betruͤbte Zeit! Du hast mir genommen alle meine Freud. *(Gehet betend ab).*

Coelestina. Camilla.

Coelest. Die thoͤrichte Naͤrrin dorffte sich unterstehen mir [30] derogleichen Brieffe einzulieffern!

Camilla. Last uns doch sehen / wie und von wem er geschrieben!

Coelest. Da ist er: leset ihn / Camilla.

Camilla. Wenn er von Herren Palladio geschrieben were / wuͤrde Cyrille vielleicht eine bessere Belohnung darvon getragen haben.

Coelest. Was saget ihr?

Camilla. Jch verwundere mich / daß die Außschrifft so schoͤn gestellet: Dem himmlischen auff der Erden scheinenden Nordstern meiner Sinnen / dem grossen Beeren meines Verstandes / der eintzigen subtilitaͤt und hoͤchstem Enti meiner Metaphysica, der wuͤrdigsten Natur in der gantzen Physica, dem hoͤchsten Gut aller Ethicorum, der Beredsamsten Phoebussin dieser Welt / der zehenden Musae, andern Veneri, vierdten Chariti und letzten Parcae, meines Verhaͤngnisses / dem hochedlen wolgebornen Fraͤulin Coelestine, meiner glorwuͤrdigsten Gebieterin / ad proprias.

3 *sen:* Füllwort ohne Bedeutung (Jacob Grimm, *Deutsches Wörterbuch,* Bd. 10,1, Leipzig 1905, Sp. 570).
8 *dorffte:* wagte.
17 *Außschrifft:* Außenaufschrift, Adresse.
20 *subtilitaͤt:* Scharfsinnigkeit.
Enti: Gegenstand.
23 *Phoebussin:* weibliches Gegenstück zu Phoebus Apollo.
24 *andern Veneri:* einer zweiten Venus.
26 f. *ad proprias:* zu eigenen Händen, persönlich.

Coelest. Es blicket wohl an dem Gesang / was es fůr ein Vogel seyn muß.

Camilla. Si vales, benè est, ego autem valeo, sagt Cicero. Jch hergegen / O ihr einiger Schleiffstein meines Verstandes ---

Coelest. Es wird ein Messerschmidt oder Glaßschneider seyn / weil er von Schleiffen redet.

Camilla. Si vales benè est: ego autem non valeo, das ist / ich aegrotire, melancholisire, decumbire, langvire, es sind mehr fremde Worte hierinnen / die ich nicht wohl lesen kan.

Coelest. Vielleicht ist es Tůrkisch oder Griechisch: last uns das ůberschlagen.

Camilla. Verstehen wir doch das Lateinische nicht.

Coelest. Woher kǒnnet ihr aber so wohl Lateinisch lesen?

Camilla. Jch habe in meiner Jugend in einem Kloster [31] Seiden stůcken gelernet; da hab ich aus Kurtzweil diese Kunst von den Jungfrauen begriffen. Nun sie hǒre weiter! Jch langvire in dem Hospital der Liebe / in welches mich eure grausame Schǒnheit ein furiret, und wie ein Krancker sich nach nichts sehnet / als nach seinem Artzt. Ita ego vehementer opto nur einen Anblick eurer Clementz, welchen ihr doch Hunden und Katzen nicht mißzugǒnnen pfleget. Wiedrigen Falls gehet der Schneider schon zu Wercke / meiner Hoffnung / die nichts hat / als

1 *blicket:* läßt sich erkennen.
3 *Si . . . valeo:* Bist du wohl, so ist's gut; dann bin ich auch wohl. Beliebter Briefanfang zu Ciceros Zeit.
4 *einiger:* einziger.
8 *Si . . . non valeo:* Bist du wohl, so ist's gut; ich aber bin nicht wohl.
9 *aegrotire:* bin krank, sieche dahin.
decumbire: liege darnieder.
langvire: bin matt, schwach.
17 *Seiden stůcken:* Seidenstickerei.
20 *ein furiret:* eingelagert, einquartiert.
22 *Ita . . . opto:* So wünsche ich sehnlichst.
22 f. *Clementz:* Mitleid, Mitgefühl.

Pein und Knochen ein Traurkleid zu machen; weil ich gåntzlich entschlossen bin mit dem ersten Schiff / welches Charon wird nach dem Campis Elysiis abgehen lassen / mich von hir dahin zubegeben / ubi veteri respondet amore
5 Sichaeus. Dieses / wo euch mőglich / verhůtet und seyd gegrůsset von

Dem / der die Erde kůsset /
auff welcher das Gras gewachsen /
Welches der Ochse auffgessen /
10 aus dessen Leder eure Schuch-Solen geschnitten

Titus Sempronius,
Caji Filius,
Cornelii Nepos,
Sexti Abnepos.

15 Coelest. Ach armseliger Semproni! wilst du vor grossem Alter gar kindisch werden!

Camilla. Ja wohl / armseliger Semproni! warum bist du nicht Palladius! Was wollen wir aber mit dem Brieffe thun?

20 Coelest. Stellet ihn unserm Koch zu. Denn weil er so voll feuriger Gedancken / kőnnen wir etwas Holtz zu dem Braten ersparen.

[32] Camilla. Jch fůrchte fůrwar / er wůrde mit seiner Kålte alles Feur in der gantzen Kůchen außlőschen.

3 *Charon:* in der griechischen Mythologie der Fährmann über den Styx.
Campis Elysiis: Gefilde der Seligen.

4 f. *ubi . . . Sichaeus:* wo mit alter (d. h. unverminderter) Liebe erscheinet Sichäus (der von Pygmalion ermordete Gemahl Didos). Vergil, *Aeneis* VI, 474.

Cyrilla. Sempronius.

Sempron. λάλησον.
Cyrilla. Nicht die alte Lyse.
Sempron. Et illa hat meinen Brieff angenommen?
Cyrill. Nicht Camilla, sondern Coelestina selber. 5
Sempron. Et qvid dixit?
Cyrill. Sie schloß ihn nicht in die Bůchse / sondern steckte ihn in den Schubsack.
Sempron. εὖ, καλῶς, κάλλιστα. Lachrymor prae gaudio. 10
Cyrilla. Ja kalt ists / und sie lachte dennoch die Haut voll.
Sempron. Ecqvis me felicior?
Cyrilla. Jn der Ecke ist sie vorgestanden / und hat den Brieff alleine gelesen. 15
Sempron. Aber was giebt sie Solatii?
Cyrilla. Ja Herr Semororiis, Kohl hat sie hie / ihr můst ihr was anders schicken!
Sempron. Ey / ihr verstehet nicht meum velle.
Cyrilla. Ey Herr / was soll es ihr mit Måusefellen / es muß Gold oder was derogleichen seyn. 20
Sempr. Auro venalia jura.
Cyrilla. Das versteh ich nicht! heist ihr mich eine Hure? meinet ihr / daß ichs ihr nicht geben werde.
Sempr. Jhr verstehet nicht meinen mentem. 25
Cyrilla. Was Verstand darff ich zu euren Enten?

2 λάλησον: Sprecht doch!
4 *Et illa:* Und sie.
6 *Et qvid dixit:* Und was hat sie gesagt?
9 f. εὖ, καλῶς ... *gaudio:* Gut, großartig, ausgezeichnet! Ich weine vor Freude.
13 *Ecqvis me felicior:* Gibt es einen Glücklicheren als mich?
16 *Solatii:* an Trost.
19 *meum velle:* meinen Willen.
22 *Auro venalia jura:* Zugeständnisse, für Gold verkäuflich.
25 *meinen mentem:* den Sinn meiner Rede.

Sempr. Jch frage / was Jungfrau Coelestina mir zur Antwort schicket? Ecqvid responsi.

Cyrilla. Ja Herr / ich gewon sie / sie sah zwar erstlich ein wenig saur. Aber als sie euch nennen hörte / muste sie
5 lächeln / wie sehr sie es auch verbergen wolte.

Sempr. Sat est.

Cyrilla. Ja ich wil wol satt essen / wenn ihr mir nur was geben woltet.

[33] Sempron. Jch wil schon geben zu essen und zu
10 trincken sine modo.

Cyrill. Nein Herr Sbrosemigis, mein Rock darff nicht nach der Mode seyn.

Sempron. Non intelligis.

Cyrill. Jch sehs wohl / daß es helle ist / aber wenn der
15 Winter komt / ist ein gantzer Rock besser als ein zuschnittener.

Sempron. Kommet kommet sodes.

Cyrill. Herr / ich esse nicht nur Sodt / es muß auch Fleisch drinnen seyn.

20 Sempr. Pruriunt ipsi dentes.

Cyrill. Sagt ihr / die Hure isset hübsche Enten?

Sempr. Ey / ich rede Lateinisch / das verstehet ihr nicht. Jch rede wie Marcus Tullius zu Rom.

Cyrilla. Es schmeckt nicht übel auff dem grossen Stul /
25 Marck und Rohm.

Sempr. Jch sage / daß ich ῥωμαϊστί, Lateinisch rede.

Cyrilla. Ja Rohm isset sie! Herr Vicmonius, ich verstehe

2 *Ecqvid responsi:* Was hat sie geantwortet?
6 *Sat est:* Das genügt mir.
10 *sine modo:* ohne Maß.
13 *Non intelligis:* Ihr versteht mich nicht.
17 *sodes:* gefälligst.
18 *Sodt:* Brühe, Bouillon.
20 *Pruriunt ipse dentes:* Ihr wässert der Mund.
23 *Marcus Tullius:* Cicero.
25 *Rohm:* Rahm, Sahne.
26 ῥωμαϊστί: römisch.

es wohl / ich weiß aber nicht / ob ihr mich eine Hure heisset.

Sempr. Ey nein / ihr seyd ein ehrlich Weib / ich meine meine Coqvam, welche der Teuffel zu reiten pflegt.

Cyrilla. Ja es ist wahr / daß der Teuffel auff dem Bock zu reiten pflegt. Aber ich habe keine Gemeinschafft darmit. 5

Sempron. Conscientia mille Testes.

Cyrilla. Die Pestilentzia unter den Fůllen / ist nicht die beste.

Sempron. Jch sage / quod me haud intelligas. 10

Cyrilla. Da man ein Meisen Haupt auff dem Teller aß?

Sempron. Auff deutsch! ihr verstehet mich nicht / haud capis me.

Cyrilla. Haupt Kapis ist mehr als eine Meise.

Sempron. Jch rede nicht von Essen / nicht von edendo. 15

Cyrilla. Ja meint ihr dehn do.

[34] Sempron. Jhr verstehet den Element, was ich wolle. Jch rede noch von Coelestina, was låst sie mich endlich wissen / qvid vult?

Cyrilla. Ja sie ist euch huld. 20

Sempron. Mere?

Cyrilla. Was wolt ihr mehre?

Sempron. Nicht so / non fallis me?

Cyrilla. Ja Herr / ich fiele mehr / als einmal.

Sempron. Seyd ihr truncken? 25

Cyrilla. Nein Herr Secconies, ich bin nicht ertruncken / aber gar tieff in den Dreck gesuncken.

Sempr. O misera!

4 *Coqvam:* Köchin.
7 *Conscientia mille Testes:* Das Gewissen wiegt tausend Zungen auf.
10 *quod . . . intelligas:* daß Ihr mich nicht versteht.
14 *Haupt Kapis:* ein Kohlkopf.
15 *edendo:* speisen.
19 *qvid vult:* was sie will.
21 *Mere:* Wahrhaftig?
23 *non fallis me:* Ihr betrügt mich nicht?
28 O *misera:* O Ärmste!

Cyrilla. Ja es kam mich sehr an.
Sempr. Folget / folget / drinnen calesces ad ignem.
Cyrill. Wenn man kahl ist / låst sichs ůbel singen.
Sempr. Die Thůr ist offen / folget hernach / wir wollen
5 schon weiter / was zur Sachen dienlich / ponderiren.
Cyrilla. Eyre / Mehl und Butter lassen sich am besten unterrůhren.

Daradiridatumtarides. Selenissa.
Cacciadiavolo. Diego.

10 Dara. Mon Dieu! So giebt sich endlich meine bißher unůberwindliche Schône auff Gnade und Ungnade ihrem werthen Freinde dem streitbaren und tapffern Daradiridatumtarides Windbrecher von tausendmord.

Selen. Ja / mein Herr Capitain, mit diesem Handschlag
15 versprech ich mich auff ewig die Seine zu seyn / trotz allen / denen es leid / und die mir diß grosse Glůcke mißgônnen.

Dara. Graces aux Dieux! Vos avez mis mon Ame au plus haut degrez de la felicité. Mit dieser gůldenen Ketten /
20 welche mir der unsterbliche Soldat von Pappenheim mit eigenen Hånden an den [35] Hals gehangen / als ich zu erst mich auff die Magdeburger Mauren gewagt / verbinde ich mir meine Gôttin / welche mir GOtt Mars selber mit allen seinen Feuerspeyenden Granaten und Donnerschwan-
25 geren Canonen nicht abjagen soll.

Selen. Jch bitte / mein werthester Bråutigam geruhe / als

2 *calesces ad ignem:* wärmt Euch am Feuer!
5 *ponderiren:* erwägen.
18 f. *Graces aux Dieux. Vos* (für frz. vous) . . . *felicité:* Den Göttern sei Dank! Ihr habt mein Herz auf die höchste Sprosse des Glücks versetzt.
20 *Pappenheim:* Gottfried Heinrich von P. (1594–1632), kaiserlicher Reitergeneral, Eroberer Magdeburgs unter Tilly, gefallen am 17. November 1632 in der Schlacht bei Lützen.

ein Zeichen meines standhafftigen Gemůths und reinen Hertzens / diesen Demant von mir anzunehmen!

D a r a. Den wil ich nicht verlieren / als mit dieser Faust. Jch glåube / daß Amor selbst seine Pfeile hierauff geschårffet habe. Wer ist auff der gantzen Welt glůckseliger / als ich? Don Cacciadiavolo, Don Diego, herfůr! wůnschet eurem großmåchtigsten Capitain Glůck. J'ay gaigné mon proces! Die Festung / die ich bißher so lange belågert / hat parlamentiret, der Accord ist geschlossen / und soll von uns beyden auff kůnfftig unterzeichnet / auch bald darauff die Citadel in posses genommen werden. Vive l'amour & ma Deesse!

C a c c i a. u n d D i e g o. Vive l'amour & sa Deesse!

C a c c i a d. Es ist kein Bluts-Tropffen in meinem gantzen Leibe / der sich nicht in lauter kleine Feur Granaten verkehre / und mir durch alle Sinnen und Geister schwerme. Jch wůndsche diesem neuen Marti und der andern Veneri unvergleichliches Glůck!

D o n D i e g o. Pallas und Bellona lasse diß treffliche Paar glůcklich zusammen kommen / frőlich beysammen leben / und langsam von einander geschieden werden.

D a r a. Aus uns werden Kinder geboren werden / welche die Welt bezwingen / die Hőlle stůrmen / und den Jupiter aus dem Himmel jagen werden / nicht anders / als wie die Riesen / welche Berge auff Berge gesetzet / durch die Wolcken gedrungen / und biß an die neundte Sphaer Sturm gelauffen sind. Jch [36] kenne mein Geschlecht /

7 f. *J'ay . . . proces:* Ich habe meinen Prozeß gewonnen!
9 *parlamentiret:* unterhandelt.
11 *Citadel . . . genommen:* die Zitadelle (d. i. Selena) in Besitz genommen.
11 f. *Vive . . . Deesse:* Es lebe die Liebe und meine Göttin!
17 *neuen Marti . . . Veneri:* dem neuen Gott des Krieges und der neuen Göttin der Liebe.
19 *Pallas und Bellona:* Göttinnen der Weisheit und des Krieges.
21 *langsam:* erst nach langen Jahren.
26 *neundte Sphaer:* die letzte Himmelssphäre des Ptolemäischen Systems.

und weiß gar wohl / aus was für einer Art wir kommen. Alsbald ich auf diese Welt gebohren bin / hab ich auff der Erden herum gesprungen / ich habe meines Vatern Degen von der Maur herunter gezogen und damit so ritterlich herum geschwermet / daß ich der Hebammen den Kopff / und der Kinder-Magd den Leib entzwey gehauen.

Don Diego. Es brennet bey zeiten / was eine Nessel werden soll.

Dara. Muth komt vor den Jahren bey wackeren Gemütern. Einen Chevalieur muß man aus dem Bart nicht aestimiren. Cet assetz! Last uns herein / Don Diego, daß man die Trompeten bestelle / Don Cacciadiavolo, daß man unsre Hochzeit mit einem Salve verehren lasse!

Don Diego. Es soll geschehen / Gestrenger Herr! grosser GOtt / hier ist Zeit gewesen Hochzeit zumachen. Bey uns ist so viel Schuld / daß ich nicht weiß / die Wäscherin vor ein Hemde zu saubern / zubezahlen. Wird die Braut ein grosses Heyrath Gut mit sich bringen / so wird es hoch von nöthen seyn: wo nicht / so werden wir sämtlich Elend aus Essig essen / mit Mangel betreuffen / und in bittern Wermut arme Ritter backen.

Der dritte Auffzug.

Bonosus. Palladius.

PAlladius. Es ist nicht anders / als wie ich erzehlet! Selenissa achtet weder meines Standes / noch seiner Vortreffligkeit. Sie ist mit dem Großsprecher nunmehr fest.

11 *aus dem Bart nicht aestimiren:* nicht nach dem Bart beurteilen, denn auch ein bartloser Jüngling kann tapfer sein.
12 *Cet assetz:* Das genügt!
22 *arme Ritter:* noch heute beliebte Mehlspeise.

Mich schmertzt nicht mehr / als daß wir / wegen der nichts werthen unbedachtsamen / solche heimliche Feindschafften und Verbit-[37]terungen gegen einander getragen. Er hat die unvergleichliche Ariana verlassen / und ich habe die Sinn- und Tugendreiche Corneliam geringe gehalten / ja schier gezwungen meinen Vetter zu heyrathen / damit ich desto freyer dieser Wanckelmůtigen auffwarten kŏnte.

Bonosus. Solte es aber wohl mŏglich seyn / daß es geschehen?

Pallad. Des Capitains Diener / welcher des meinen Landsmann und getreuer Camerade, hat anitz in meinem Hause den gantzen Zustand entdecket.

Bonosus. Unbesonnene! thŏrichte! leichtfertige undanckbare Selenissa!

Pallad. Mein Herr / last uns nicht auff sie fluchen / ich trage ein hertzliches Mittleiden mit ihr / sie darff keiner Straffe mehr / die durch eine solche Heyrath mehr denn ůberhefftig gestraffet wird.

Bonosus. Wo ich dem Capitain auff seine Hochzeit nicht einen sondern Schimpff erweise / so můsse die gantze Stadt von meiner Zagheit sagen.

Pallad. Mein Herr / der hat Schimpffs mehr denn zu viel / dem man keinen Schimpff mehr erweisen kan. Die gantze Welt hålt ihn fůr einen Landlůgner. Er steckt in tausend Schulden vertåuffet biß ůber die Ohren. Selenissa hat auff der Welt nichts! wie kan man beyden mehr Unglůcks wůndschen?

Bonosus. Jch kan mich nicht genung verwundern ůber der thŏrichten und unbesonnenen Jugend!

16 *darff:* bedarf.
24 *Landlůgner:* weitbekannter, großer Lügner.

Cleander. Bonosus. Palladius.

Cleander. Recht! Finde ich die Herren und wehrteste Freunde hir beysammen! Ich habe Herren Palladium den gantzen Morgen gesucht.

Pallad. Mein Herr / die Ehre / die er seinem geringsten Diener erweiset / ist zu hoch! und ich bin schuldig ihm auch sonder sein Begehren stets auffzuwarten.

[38] Cleand. Mein Herr Palladi, die Worte sind unvonnöthen. Jch komme anietz auff Befehl ihrer Durchlauchtigkeit / unsers gnädigsten Fürsten ihn auff den Hoff zufodern / da er den Eid / als von ihrer Fürstl. Durchl. selbst erkohrner Mareschall ablegen soll; zu welcher von ihm wohl verdienten Erhöhung ich ihm was er selbst begehren mag / von Hertzen verwüntsche.

Bonosus. Was höre ich / Herr Cleander?

Pallad. Jch halte mein Herr treibet den Spott mit seinem Diener!

Cleand. Was solte ich vor Ursach zu spotten haben in so wichtiger Sache. Jch bitte mein Herr wolle bald sich mit auff den Hoff begeben / und nach abgelegter Pflicht mir / nebenst andern werthen Freunden / welche sich über dieser seiner neuen Ehre höchlich ergetzen / seine Gegenwart an meiner Taffel gönnen! Mein Herr Bonosus wird / wie ich auffs höchste ihn bitte / kein Bedencken tragen uns Gesellschafft zuleisten.

Bonos. Mein Herr Palladi, ich erfreue mich höchstens über seinem unverhofften / doch wohlverdienten Glücke.

Pallad. Mein Herr / ich weiß bey diesem Zustand nicht / wie oder wem ich zuförderst zu dancken verpflichtet; Diß einige ergetzet mich / daß ich Mittel an die Hand bekommen / ihnen in der That zu erweisen / daß ich ihrer allerhöchst verpflichtester Diener.

14 *verwüntsche:* wünsche.

Sempronius. Cyrilla.

Sempronius. Amor vinumqve nihil moderabile svadent.

Cyrill. Schwaden in Milch gekocht ist gut.

Sempron. Nihil ad Rhombum.

Cyrilla. Michel worum drum?

[39] Sempr. Ἐγὼ σκόροδά σοι λέγω, σὺ δὲ κρόμμυ' ἀποκρίνεις.

Cyrilla. Ja freylich muß man das Korn lesen / wenn es krum und nicht grůne ist.

Sempron. Jch rede de plaustris, ihr antwortet de trahis.

Cyrill. Jhr redet von der Plautze / die ich wegtrag itz?

Sempron. Jch rede von meinem Cordolio.

Cyrill. Jo ich hab den Korb voll jo.

Sempr. Von meiner Coelestina, bey der ihr um Antwort anhalten sollet / wo es in fatis.

Cyrill. Ja ich soll fragen / ob sie Fladen isst?

Sempr. Der sollet ihr bringen diese margaritas.

Cyrilla. Das soll ich bringen meiner Margritte.

Sempr. Jhr sollt die Perlen Jungfer Coelestinen geben / sag ich / zu einem Mnemosyno.

Cyrill. Sol ich sie geben meinem Sohn?

Sempr. Ey nein doch / ihr sollet sie zustellen Fråulein Coelestinen zum Mnemosyno.

2 f. *Amor . . . svadent:* Liebe und Wein verdienen keine Mäßigung.
4 *Schwaden:* Schwadengras, Bluthirse; wurde ähnlich wie Reis verwendet.
5 *Nihil ad Rhombum:* Das gehört nicht zur Sache.
7 f. Ἐγὼ . . .: Ich sage Knoblauch, und Ihr antwortet Zwiebel.
10 *krum:* gebrochen, d. i. reif.
11 *de plaustris . . . de trahis:* von Wagen . . . von Fahrzeug.
12 *Plautze:* Eingeweide, bes. Lunge (Jacob Grimm, *Deutsches Wörterbuch*, Bd. 7, Leipzig 1889, Sp. 1931).
13 *Cordolio:* Herzeleid.
16 *in fatis:* vom Schicksal bestimmt.
18 *margaritas:* Perlen.
21 *Mnemosyno:* Andenken.

Cyrill. Ja ich meine so.
Sempr. Wenn seh ich euch rursus.
Cyrill. Herr ihr vergesset euch / ich heisse nicht Urse.
Sempr. Ερωτάω.
Cyrill. Ein rot Auge?
Sempr. Ego qvaero, ego interrogo, ego sciscitor, das heist / ich frage euch / quando reversura sis?
Cyrill. Nu seht nur Herr / ihr redet so geschwinde / und fraget immer / ob Anne eine Hure ist.
Sempr. Ey was ist mir daran gelegen. Jch frage / wenn ihr wiederkommen wollet mit Antwort und guter Verrichtung.
Cyrill. So bald es mǒglich.
Sempr. ὕπαγε εἰς εἰρήνην.
Cyrill. Ja / ja ich wohne hierinnen.

Coelestina. Camilla.

Coelest. Nun ists vergebens! meine Hoffnung ist todt! [40] Himmel / muß meine getreue Liebe mit einem so traurigen Außgang belohnet werden!
Camilla. Gedult und Zeit / werthe Jungfrau / ǎndert und heilet alles.
Coelest. Die Wunde ist zu groß / und der Schmertz zu hefftig.
Camilla. Jch glaub es gern / daß nichts verdrießlichers und schǎndlichers / als wann man treuer Liebe mit Undanck begegnet. Aber was kan euren Verstand besser auff den rechten Weg bringen / als wenn ihr ǔberleget / wie ǔbel er mit euch biß anher gehandelt.

2 *rursus:* wieder.
4 Ερωτάω: Ich frage.
6 *Ego . . . sciscitor:* Ich frage, forsche, möchte erfahren.
7 *quando reversura sis:* wann Ihr wiederkommt.
14 ὕπαγε εἰς εἰρήνην (in neugriechischer Aussprache irinin): Gehe in Frieden!

C o e l e s t. Aber warum schneid ich mir selbst alle Hoffnung ab? liebeste Camilla, suche doch noch einmahl Gelegenheit mit ihm zu reden / und ihm meine grosse Gewogenheit zu verstehen zu geben.

C a m i l l a. Meine Jungfrau / hat er sie nicht geachtet / als er noch im geringerm Stande geschwebet / was wird er ietzund thun / nun er so unversehens so hoch gestiegen? Ehre åndert die Gemůther und macht aus Muth Hochmuth.

C o e l e s t. Wolte GOtt / sie ånderte sein Gemůthe / daß er ein wenig besser um sich sehe und betrachtete / wer diese wåre / die er verachtet.

C a m i l l. Ach / meine Jungfrau! Jhr begehret ein Wunderwerck und eine zu unsern Zeiten unerhőrte Sache! kennet ihr Palladii unverånderlichen Vorsatz nicht? Eher wolte ich wilde / ja Felsen bewegen / als ihn / wenn er einen Schluß einmal gefasset.

C o e l e s t. Mit einem Wort / ich hőre nichts mehr als meine Verdamnůß in dem Rechtshandel der Liebe.

C a m i l l a. Es kan hier nicht anders seyn. Euer Richter ist gar zu unbarmhertzig.

C o e l e s t. Gilt denn keine fernere Beruffung? kein Auffschub? keine Linderung des Urtheils?

C a m i l l. Zu oder vor wen wollen wir des zihen?

[41] C o e l e s t. Zu Palladio selber: wofern meine Schőnheit / meine Jugend / mein Stand / Vermőgen und Tugenden / welche andere / ihrer Einbildung nach / bey mir reichlich antreffen / nicht seiner Gunst wůrdig; wird ihm doch vielleicht meine unvergleichliche Standhafftigkeit zu Gemůthe dringen.

C a m i l l a. Jch fůrchte gegentheils / er werde unsers Elendes spotten / und uns aus seinem eignen Munde hőren

8 *Ehre:* Amt und Würden.
16 *wilde:* d. h. wilde Tiere; vgl. Orpheus, dessen Musik selbst die Tierwelt bewegte.
24 *Zu oder . . . zihen:* Wen sollen wir darum ersuchen?

lassen / was wir schon ohne diß vernůnfftig muthmassen kŏnnen.

C o e l e s t. Jch bin bereit nicht nur aus seinem Munde das Urtheil meines Todes anzuhŏren / sondern wolte wůndschen / wenn mŏglich / von seiner Hand zu sterben; ja ich wolte mir solchen Untergang fůr die hŏchste Glůckseligkeit und letzte Ervŏllung alles meines Wůndschens halten.

C a m i l l a. Jch bin weit anders gesinnet. Aber / ich sehe den Capitain! last uns beyseit / daß er meiner Jungfrauen nicht verdrießlich falle.

Capitain Horribilicribrifax. Harpax.

H o r r i b. Hast du es glaubwůrdig vernommen?

H a r p a x. Mit diesen meinen zweyen Ohren hab ich es gehŏret.

H o r r i b. Und du hast es gehŏret?

H a r p a x. Jch hab es gehŏret.

H o r r i b. Du hast es gehŏret?

H a r p a x. Jch / ich / ich / ich hab es gehŏret.

H o r r i b. Mit deinen Ohren?

H a r p a x. So wol mit den Ohren / als offnem Munde / ja Gehirne und allen fůnff Sinnen!

H o r r i b. Daß Sempronius sich unterstehet seine Gedancken da einzuqvartiren / wo allein der unůberwindliche Horribilicribrifax Winterlåger halten soll?

H a r p a x. Signor Capitano, wird eure Herrligkeit nicht bey Zeiten darzu thun / so důrfften noch wol andere / [42] als Sempronius ehe eine Feldschlacht aldort liefern / als er an das Winterqvartir gedencken.

H o r r i b. Se mi monta il grillo nella testa, sarò huomo da

14 f. *Mit ... gehŏret:* Pleonasmus; vgl. Opitz, *Poeterey* (1624), Bl. [E 3b].

30 ff. *Se ... piu:* Wenn mir die Grille zu Kopfe steigt, so werde

scannar Marte e Morte, e Sempronio, e far si, che di lei non si ragioni mai piu. Welch Bellerophon, Rinocerote, Olivir, Palmerin, Roland, Galmy, Peter mit dem silbernen Schlůssel / Tristrant, Pontus, dürffen sich unterstehen nur dergleichen Sache zugedencken / schweige denn ins Werck zusetzen. Jch erbasiliske mich gantz und gar / die Haare vermedusiren sich in Schlangen / die Augen erdrachen sich / die Stirne benebelt sich mit Donnerspeienden Wolcken. Die Wangen sind Aetna und Mon Gibello, die Feurfuncken stieben mir aus dem Munde wie aus dem Heckelberge / der Hals starret wie der Thurm zu Babel / es blitzet mir im Hertzen nicht anders / als wenn tausend Hexen Wetter darinnen gemacht hätten. Jedweder Finger vertheilet sich in noch dreissig andere. Die Füsse schiessen in so viel Wurtzeln aus. Somma ich erzürne mich zu tode. Io Sputo Archibusi, Pistolle, e fulmini, daß mir nicht einer von den Mordvögeln entgegen geflogen käme / daß ich meinen Grimm an ihm außlassen könte / mit einem Anblick wolte ich ihn in lauter Asch verkehren nicht anders / als die Granaten / wenn sie in die Heuschober fliegen.

ich Mars, den Tod und Sempronius erwürgen, und zwar so, daß man nie wieder von ihnen spricht.

2 *Bellerophon:* griechischer Sagenheld.
Rinocerote (für Rinoceronte): Miles-gloriosus-Rolle der Commedia dell'arte.

3 *Olivir:* Held des *Rolandslieds.*
Palmerin: Held des *Amadis*-Romans.
Roland: Titelheld des *Rolandslieds* und des *Orlando furioso* von Ariosto.
Galmy: Held eines Ritterromans von Jörg Wickram (1539).
Peter: Held eines Stücks von Hans Sachs.

4 *Tristrant:* Held des Romans *Tristan und Isolde.*
Pontus: Held des Ritterromans *Pontus und Sidonia* (dt. 1483).

6 f. *erbasiliske . . . vermedusiren . . . erdrachen:* manieristische Wortgebilde, vgl. Opitz, *Poeterey* (1629), Bl. [E 3[a]].

9 *Aetna und Mon Gibello:* tautologisch, da Mongibello ein Volksname des Ätna ist.

11 *Heckelberge* (für Hekla): isländischer Vulkan.

16 *Io . . . fulmini:* Ich speie Armbrüste, Pistolen und Blitze. Vgl. Andreini X, 20[a].

Harpax. Signor Capitano, Signore e Patron mio gloriosissimo, darff ich euch unter Augen treten?

Horrib. Wozu dienet diese Frage?

Harpax. Jch fůrchte / ihr mőchtet mich auch anzůnden / ich bin etwas dűrre von Hunger.

Horrib. Sey sonder Sorge! meine Augenstralen haben Verstand. Qvelli che meco vivono, e che Servono la persona mia ornata di tanti trofei e triomfi, non vivono in pericolo.

[43] Harpax. Nun ist Noth verhanden: Sempronius komt selbst selber zu seinem Unglůck E. Herrligkeit in die Hånde.

Horribilicribrifax. Sempronius. Harpax.

Sempron. Omnes homines summa ope niti decet, ne vitam silentio transigant veluti pecora. Salust. de Conjuratione Catilinae. Multa dies variusque labor mutabilis aevi rettulit in melius. Virgil. lib. 9. AEn. Amavi, amavisti, amavit, amo, der Fuchs åndert die Haare / nicht das Gemůthe / saget das Deutsche Sprichwort. Unter dieser grauen Aschen meines Kopffs / sub hisce canis, liegen noch viel glůende Kohlen der Liebe verborgen / ignes suppositi cineri doloso. Horatius.

1 f. *Signor ... gloriosissimo:* Herr Hauptmann, mein ruhmreicher Gebieter und Gönner.

7–9 *Qvelli ... pericolo:* Die mit mir leben und meiner mit so vielen Trophäen und Triumphen geehrten Person dienen, die leben ohne Gefahr. Vgl. Andreini VII, 13ª.

14 f. *Omnes ... pecora:* Allen Menschen geziemt es, mit Fleiß zu streben, ihr Leben nicht lautlos wie das Vieh zu verbringen. Ungenau zitiert nach Sallust, *De Coniuratione Catilinae* I, 1.

16 f. *Multa ... melius:* Vieles ändert der Tag und die wandelbare Tätigkeit der Zeit zum Bessern. Vergil, *Aeneis* XI (nicht IX), V, 425 f.

17 f. *Amavi ... amo:* Durch Konjugation einiger Formen von lat. amare gibt sich Sempronius als Schulmeister zu erkennen.

20 *sub ... canis:* verballhornt für: unter diesen weißen Haaren.

21 f. *ignes ... doloso:* verdrehte lateinische Übersetzung des vorhergehenden deutschen Satzteils.

Horrib. Er ist verlohren! er hat gelebt! er ist todt.
Harpax. Ey / Ey / Herr Capitain!
Sempr. Sed qvid sibi vult Pyrgopolynices iste qvi ita gladiatorio animo ad nos affectat viam?
Horrib. Wer bist du?
Sempron. Wer bist du?
Horrib. Qvesta è una domanda impertinente, la qvale merita per risposta una pugnalata nel cuore.
Sempron. Du magst wohl ein Bernhåuter in der Haut seyn! hastu redliche Leute nicht lernen grůssen? Saluta libenter, sagt Cato.
Horrib. Jch werde rasend.
Sempr. Helleboro opus est homini! er ist toll.
Horrib. Bisogna, ch'io faccia in pezzi, ch'io fulmini, qvaesto ladrone! Sag ihm wer ich sey!
Harpax. Mein Herr Sempronius thut sehr ůbel / daß er sich an einem so fůrtrefflichen Mann vergreifft! Er ist der Welt berůhmte Capitain Horribilicribrifax von Donnerkeil!
Sempr. Jst er Horribilicribrifax von Donnerkeil / so bin [44] ich Sempronius vom Wetterleuchten / famâ super aethera notus.
Horrib. Tu sei un Bufalo. Wo ich mich recht erzůrne /

3 *Pyrgopolynices:* Städteeroberer; Name des Miles gloriosus bei Plautus.
3 f. *Sed ... viam:* Aber was will denn dieser Städteeroberer, der hier mit martialischem Sinn auf uns losstürmt? Terenz, *Phormio* V, 7,71 (vgl. Horaz, *Oden* II, 1,7 f.).
7 f. *Qvesta ... cuore:* Das ist eine impertinente Frage, die einen Stich ins Herz verdient.
10 f. *Saluta libenter:* Grüße gern! Cato, *De re rustica*, 156.
13 *Helleboro ... homini:* Der Mann braucht Nieswurz! Plautus, *Pseudolus* IV, 7,84. Nieswurz (lat. helleborus) wurde gegen Geisteskrankheiten angewandt.
14 f. *Bisogna ... ladrone:* Ich muß ihn zerhacken, ich muß ihn niederschmettern, diesen Spitzbuben!
21 f. *famâ ... notus:* berühmt bis zum Himmel. Vergil, *Aeneis* I, 379.
23 *Tu sei un Bufalo:* Du bist ein Ochse.

so haue ich euch in kleine Stücken / daß euch die Ameissen in zweyen Augenblicken wegtragen.

Sempron. Qvi moritur minis, illi pulsabitur bombis. Wer fůr Dråuen stirbet / dem låutet man mit Eselsfůrtzen aus. Πολλὰ μεταξὺ πέλει κύλικος καὶ χείλεος ἄκρου. Oder meinet ihr / daß ich in meiner Jugend auff der Universitåt nicht auch habe fechten lernen? πολλῶν ἐγὼ Θρίων ψόφους ἀκήκοα! Huc si qvid animi!

Harpax. Jch verstehe nichts was er wolle. Jch glaube daß er gesonnen uns zu beschweren.

Horrib. Jhr habt die unvergleichliche Coelestinam lieb.

Sempr. Das thu ich zu trotz / euch und allen den es leid ist / qvid id ad te?

Horrib. Jch sage / daß ich ihrer Liebe wůrdiger bin.

Sempr. Mentiris, Das heist auff deutsch / es ist erlogen.

Horrib. Oh qval' oltragio! Sol ich dis Wort hőren? was hindert mich / daß ich euch nicht in einem Streich in hundert tausend Stůcken zertheile.

Sempr. Qvid me retinet, daß ich nicht mit diesem meinem alten guten Spannischen Degen / mit welchem ich auff so vielen Universitåten den Bachanten Lőcher geschlagen / den Håschern Schenckel und Kőpff abgehauen / die tollesten Teuffel blutrůnstig gemacht / die Steine auff der Gassen zuspalten / dem Rectori Magnifico die Fenster aus-

3 *Qvi ... bombis:* Wer vom Drohen stirbt, dem wird man läuten mit Bumbum (Palm).

4 *Eselsfůrtzen:* eine Distelart (Powell); hier jedoch als Übersetzung von »bombis« wörtlich gemeint.

5 Πολλὰ ...: Es gibt viele Dinge zwischen dem Becher und dem Rand der Lippe.

7 f. πολλῶν ...: Ich habe das Prasseln [beim Verbrennen] vieler Feigenblätter vernommen, d. h. viele leere Drohungen. Aristophanes, *Die Wespen*, 436.

8 *Huc si qvid animi:* Komm her, wenn du Mut hast!

13 *qvid id ad te:* Was geht das dich an?

16 *Oh qval' oltragio:* O welche Beleidigung!

19 *Qvid me retinet:* Was hindert mich.

21 *Bachanten:* junge Studenten, Füchse.

gestochen / den Pedellen die Fůsse gelåhmet / eine solche That verůbe / daß die Sonne am Himmel drůber erschwartze / und die Planeten zurůcke lauffen / nec dum omnis haebet effoeto in corpore Sangvis. Virgil.

Horrib. Ob ich euch wol mit diesem Degen kőnte auff andre Meinung bringen / (havent'io un giorno nel [45] amfiteatro di Verona ucciso di mia mano molto mille gladiatori) wil ich euch doch darthun aus eurer eignen Wissenschafft / daß ich besser sey als ihr / damit ihr sehen sollet / daß ich eben wohl studiret bin / und in Artem Aratoriam Verstand habe. Jhr seyd ein Gelehrter / und macht profession von dem Buch / als ich von dem Degen. Jst das nicht wahr?

Sempr. Rem acu!

Horrib. Nu wisset ihr ja wohl / daß man das Buch unter dem lincken Arm trågt: und den blossen Degen in der rechten Hand fůhret / Ergò gehen die Gelehrten unten und wir oben an.

Sempron. Καλῶς. Ergo gefehlet. Als wenn man nicht den Degen auff der lincken Seiten trůge / und ein offen Buch in der rechten Hand hielte: als wenn man nicht die Feder oben auff den Hut steckte / welches ich weitlåufftiger mit vielen Syllogismis, Enthymematibus, Soritibus, Inductionibus, Elenchis, Mesosyllogismis, Argumentationibus crypticis, Distinctionibus, Divisionibus, Exceptionibus, außfůhren kőnte / nisi res esset liqvidissima per se, und klårer als die Sonne in ipso meridie.

3 f. *nec . . . Sangvis:* Noch ist nicht alles Blut im Leibe vertrocknet. Vergil, *Aeneis* V, 396.

6–8 *havent'io . . . gladiatori:* wo ich eines Tages im Amphitheater zu Verona eigenhändig Tausende von Gladiatoren getötet habe.

10 f. *Artem Aratoriam:* Ackerbau; er meint jedoch Artem Oratoriam: Redekunst.

14 *Rem acu:* Stimmt genau! Plautus, *Rudens* V, 2,19.

19 Καλῶς: schön.

23–25 *Syllogismis . . . Exceptionibus:* Termini der Logik.

26 *nisi . . . per se:* Wenn die Sache nicht an sich schon so klar wäre.

27 *in ipso meridie:* um die Mittagsstunde.

Harpax. Last uns fliehen / mein Herr / er zaubert / er redet der bősen Geister Sprache.

Horrib. Si me lo direte: lo sapero! als wenn ich nicht mit vielen Sonneten, Madrigalen, Qvadrimen, Oden, Canzonen, Concerten, Sarabanden, Serenaden, Aubaden, das Widerspiel beweisen kőnte: doch damit ich euch Schamrőthe abzwinge / und beweise / daß ich ein besser Arator bin / als ihr; so wil ich eine Roration halten / die ich gethan / als Pappenheim Magdeburg einnahm / und man kurtz zuvor in dem Kriegsrath herum fottirete. Habt ihr so viel Muhts / so beantwortet mir dieselbe Augenblicks.

[46] Sempron. Ego sum contentissimus.

Horrib. Harpax, Du solst unterdessen General Tylli seyn. Setze dich derowegen hier nieder. Bildet euch nun ein / hir sitze General Tylli, und neben ihm Feldmarschall Pappenheim. Hora, diamo principio alla narrativa! Es wurd deliberiret, ob man Magdeburg denselben Morgen antasten oder verziehen solte / biß unsre Abgeordneten wieder ins Låger kåmen / Don Arias von Toleto, welcher in dem ůbrigen ein hurtiger Cavalier, aber in dergleichen actionen troppo ardito: hatte vor mir geredet / ich richtete mich con la grandezza mia superbissima e con meraviglia e tremore di tutti circonstanti, auf diese meine marmőrne

3 *Si . . . sapero:* Wenn Ihr mir's sagt, so werde ich's wissen. Andreini XXXIII, 65[a].
4 f. *Sonneten . . . Aubaden:* Aufzählung von Dichtungsformen und -gattungen.
6 *Widerspiel:* Gegenteil.
7 *Arator:* Pflüger; er meint jedoch lat. Orator: Redner.
8 *Roration* (für Oration): Rede.
10 *herum fottirete* (Wortwitz für votirete): hin und her riet.
12 *Ego sum contentissimus:* Ich bin äußerst zufrieden.
16 *Hora . . . narrativa:* Jetzt laßt uns anfangen mit der Geschichte!
17 *deliberiret:* überlegt, diskutiert.
18 *verziehen:* abwarten.
21 *troppo ardito:* zu hitzig.
22 f. *con . . . circonstanti:* mit meiner stolzesten Würde und zum Erstaunen und Entsetzen aller Anwesenden.

Schenckel / gab ihm einen unversehenen Blick mit diesen zweyen brennenden Carfunckeln / oder glåntzernden Laternen dieses meines fleischlichen Thurms. Die Frantzosen nennen es une olliade.

H a r p a x. Jch zittere und bebe ůber diesem Angesichte!

H o r r i b. Nachmals als ich sah / daß ich dem Don Arias ein Schrecken durch alle Beine gejagt; und sich die gantze Compagnie ůber mir entsetzete / wolte ich die Gemůther etwas sånfftigen / damit sie mich mit desto grősserer Anmuth hőren mőchten / derowegen prima d'ogn'altro, bacio le ginochia Jhrer Excellentzen, des Tylli und des Pappenheims / come si conviene. Nachmals / inchinai la testa gegen die umstehenden Herren / und sprach also:

H a r p a x. Herr Semproni! ihr habt schon verlohren! Jhr werdet diß nimmermehr nachthun.

H o r r i b. Sintemal Jhre Excellentzeste Excellentze, die Zeit sehr kurtz / in dem wir den Feind vor der Stirne haben und eine Stunde / Minute / ja Augenblick uns die Victorie geben oder nehmen kan; dirò ancor' io qvalche cosa, und wil mit wenigem mein Gemůth entdecken und sagen / daß ob es wohl uns [47] Cavaliren ůbel anstehe / mehr mit der Zungen / als dem Degen zu reden / und du mein berůhmtes Schwerd / tu mia spada fulminea, tagliente e fendente! Wenn du eine Zunge håttest / eben diß sagen wůrdest; nichts desto weniger wil ich sagen / weil mir zu sagen gebůhret / und die Reye zusagen an mich gelanget ist / und wil nicht sagen / daß ich zu beweisen willens / daß ich wohl und viel sagen kőnte / sondern wil auffs ein-

4 *une olliade* (für oeillade): ein Blitz der Augen.
10 f. *prima . . . ginochia:* küsse ich gleich zuerst die Knie. Er verwechselt hier ›baciare le mani‹ (den Handkuß) mit ›piegare le ginocchia‹ (dem Kniefall). Wörtlich nach Andreini XXIV, 47[a].
12 *come si conviene:* Wie es sich gehört. Andreini XXIV, 47[a].
inchinai la testa: verbeugte ich mich. Andreini XXIV, 47[a].
19 f. *dirò . . . cosa:* werde ich noch etwas bemerken.
23 f. *tu . . . fendente:* du mein blitzendes Schwert, meine scharfe Klinge.
28 f. *auffs einfåltigste:* deutlich, klar.

fåltigste vor euch sagen / was mich důncket / das gesaget
werden můste / und will nichts weniger sagen / als was
gesaget ist von den berůhmtesten Leuten / denn wenn ich
etwas anders sagete / wůrde ich sagen wider Kriegs-
5 manier / nach dessen Gewonheit ich auffgestanden bin / etwas zusagen. Und so iemand unter dem Hauffen ist /
der sich einbildet / daß er mir sagen důrffte / ich solte
nicht also sagen / der mache sich herfůr und sage es / ich
weiß / daß er nicht anders sagen wird / als was ich sagen
10 wil. Jch sage denn was drey Personen aus diesem unzeh-
lichen und unůberwůndlichen Heere werden sagen / kŏnnen sagen / můssen sagen / wollen sagen / und sagen auch
sonder ein Wort zusagen. Die ersten Zwey sind ihr excellentzeste Excellentz, (und hiermit machte ich einen Re-
15 verentz) die Dritte bin ich. Weil mir aber nicht wohl an-
ziemet was zu sagen / so schweige ich aus Modestie, und
remittire mich im ůbrigen auff dieselbe / die etwas gesaget haben / und noch sagen werden. Hor su, Finiamo,
la qvi. Kŏnte man wohl was schŏners gesaget haben /
20 Harpax?

Harpax. Das ist ein schŏn untereinander gemischetes Ge-
sage! wåre nicht eine Abschrifft darvon zu erlangen?

Horrib. Mi sarà di sommo contento, gar sehr wohl / aber
zu einer andern Zeit! itzund last uns hŏren / was dieser
25 dargegen zu sagen habe.

[48] Harpax. Monsieur Sempronius, die Reye etwas zu
sagen / ist nun an euch gelanget.

Sempron. Jch sage derowegen / qvod nihil dictum sit ab
eo, qvod non sit dictum prius; und bey dieser Gelegenheit

16 *Modestie:* Bescheidenheit.
17 *remittire:* verlasse.
18 f. *Hor su ... qvi* (Andreini XXII, 44ª: »Horsù, finiamola qui«): Jetzt laßt uns Schluß damit machen!
23 *Mi ... contento:* Es wird mir zur höchsten Befriedigung gereichen.
28 f. *qvod ... prius:* Nichts sei von ihm gesagt, was nicht früher auch schon gesagt wurde.

etwas zu sagen / wolte ich lieber also gesaget haben: ὑψηλᾶν ἀρετᾶν ῎Ανακτες!

Harpax. Hőret Wunder! hőret!

Sempron. Daß man mir nicht in die Rede falle! O ihr durchlauchtigsten und unűberwindlichsten Heroës, welcher unvergleichliche Stårcke sich nicht aufhalten låsset in den alten und gedrangen Gråntzen / Montium Pyreneorum, Alpium, Atlanticorum, Apenninorum und Sarmaticorum, sondern weit űber die Gråntzen / in welchen Calisto nicht auffgehet / sese penetrat, und herum fåhret durch den zwőlffthierigen Kreis des Titanis, penetrans die beschwårtzten Aethiopes, streiffet um das Vorgebirge bonae Spei, floret durch die wolrichenden Moluccas, henget sich an die bepfefferte Bengala, gehet fűrűber bey denen / ihrer Einbildung nach zwey-âugichten Chinesern, und hålt Mittags Ruh in Japan. Jch der ich nicht bin der andere Marcus Tullius Cicero, der nicht erreichen kan lactifluam eloqventiam Titi Livii, qvi non adspiro ad gravitatem Salustianam, neqve asseqvor Cornelii Taciti divinam Majestatem. Jch / sage ich / der ich gleichwol diese Discursus vor die treflichsten halte / οἵτινες περὶ μεγίστων τυγχάνουσιν

2 ὑψηλᾶν ...: Ihr Könige von hohen Tugenden. Pindar, *Olympische Ode* V, 1.

7 *gedrangen:* engen.

7 f. *Montium ... Apenninorum:* der Pyrenäen, der Alpen, des Atlas, der Apenninen.

8 *Sarmaticorum:* Es gibt keine Sarmatischen Berge, nur eine Sarmatische Ebene nördlich des Schwarzen Meers.

9 *Calisto:* Sternbild des Großen Bären.

10 *sese penetrat:* hinausdringt.

11 *Titanis, penetrans:* Titans (des Sonnengottes), der durchwandert.

12 f. *Vorgebirge bonae Spei:* Kap der Guten Hoffnung.

13 *floret:* blüht, prangt.

17–20 *lactifluam ... Majestatem:* der ich die wie Milch fließende Beredsamkeit des Titus Livius nicht erreichen kann, nicht nach dem Ernst eines Sallust trachte und nicht die göttliche Würde eines Tacitus erlange.

21 f. οἵτινες ...: Gespräche, die von den höchsten Dingen handeln und die Sprecher ins hellste Licht stellen.

ὄντες, καὶ τούς τε λέγοντας μάλιστα ἐπιδεικνύουσι, will euch mit vielen Worten nicht auffhalten / cùm alias die Zeit kurtz / & jus sit in armis: Remittire mich also auff die / die bißanher geschwiegen haben / und noch de facto schweigen. Dixi. Was hålt Harpax von dieser Oration?

Harpax. Sie war bey meiner Seel auch schőn: ob ich wol [49] kein Wort darvon verstanden habe. Herr Capitain es muß ein verdrießlich Ding seyn einen General abzugeben.

Horrib. Ohimè che parole son qveste? Warum?

Harpax. Warum? solte er doch tolle werden / wenn er nur iedweden Tag solcher zwey Rorationes hőren můste.

Horrib. Tu non m'intendi? Va! Va! Du bist ein ignorant, und verstehest nicht Zierligkeit der Wohlredenheit.

Harpax. Dem sey / wie ihm wolle.

Sempron. Aber welches Oration war nu die beste?

Harpax. Mir ist / als wenn ich bey einer Fůrstlichen Taffel såsse / und nicht wůste unter den Gerichten zu wehlen / oder eins mit mir zu werden / welches das Schmackhaffteste. Vertraget euch selber unter einander. Jch resignire euch die Excellentz, mit sampt der Tyllischafft und dem Generalat.

Sempron. Ergò ἔρρωσο, Herr Capitain.

Horrib. Adio signor Semproni.

Harpax. Ho / ho / sie kommen ja beyde noch lebend von einander.

2 *cùm alias:* weil sonst.
3 *& jus sit in armis:* und das Recht sei in den Waffen.
3 f. *Remittire mich . . . auff die:* überlasse das Wort denen.
4 *de facto:* in der Tat.
5 *Dixi:* Ich habe gesprochen, ich bin fertig.
10 *Ohimè . . . qveste:* O je, was sind das für Worte?
13 *Tu . . . Va:* Du verstehst mich nicht? Schere dich fort!
20 *resignire:* überlasse.
23 *Ergò . . . Capitain:* Also lebt wohl, Herr Hauptmann! – Vier Wörter aus vier Sprachen, ein Schulbeispiel der Sprachmengerei!

Rabbi Isaschar. Frau Antonia.

Der Jude trågt ein silbern Gießbecken unter dem Arm / und die Kanne in der Hand.

R a b b i. Ey bey meinem Jůdischen Madda! bey meinem Eyde! es ist nicht anders / als ich euch sage! mezzekenim ethbonan!

A n t o n i a. So were ich die elendeste Frau auff dem gantzen Erdboden. Andere reden gleichwol gar anders.

R a b b i. Lo jadeu velo jasinu. Jhr werdet das in der That erfahren / denn ich sage euch nichts als die blosse lautere Warheit! Was håtte ich fůr Ursach euch zu betriegen? ich weiß / ihr seyd eine ehrliche Frau / [50] es ist nicht anders / so wahr / als ich Rabbi bin / und heute gedarascht habe.

A n t o n i a. Es scheinet aber unglaublich zu seyn.

R a b b i. Unglaublich? warum unglaublich? es geschehen wohl mehr derogleichen Sachen / und ihr kennet das gemeine Sprichwort: Der Tod und Heyrath entdecken alle Dinge / wenn es nicht so wåre / man wůrde malcanderen den gehelen Dag sonder Ersgatt beschiten / spricht der Hollånder.

A n t o n i a. Mein lieber Rabbi, seyd mir doch zu Dienste mit zwey oder dreyhundert Reichsthalern / nur auff wenige Tage / gegen genugsames Pfand.

R a b b i. Ey warum das nicht / liebe Frau? auff ein Jahr

4 *Madda:* Einsicht, Vernunft, Wissenschaft, Verstand.

5 f. *mezzekenim ethbonan:* Ich bin klüger denn die Alten. Psalm 119, 100.

9 *Lo . . . jasinu:* Sie wissen nichts und verstehen nichts. Jesaja 44, 18.

13 *gedarascht:* studiert, geforscht.

19 f. *malcanderen . . . beschiten* (wörtlich: einander den ganzen Tag ohne Arschloch bescheißen): betrügen (*Woordenboek der Nederlandsche Taal*, Bd. 2,2, 's-Gravenhage u. Leiden 1903, Sp. 1978).

und laͤnger / wenn das Chafol Tof und Thuf ist; last mich es schauen!

Antonia. Hir hab ich es. Sehet welch eine treffliche Kette mit Diamanten versetzet.

Rabbi. Ey Frau Antonia? welch schoͤn Ding ist das? col hefel hefalim!

Antonia. Es ist ein trefflich Stuͤck / wie ihr selber sehet / nehmts in eure Haͤnde / und beseht sie gar wohl.

Rabbi. Frau Antonia, wir sind gute Freunde; ich habe euch mehrmahls gedienet / und thu es noch gern: Hoffe auch / ihr werdet mir erlauben / daß ich ein omer oder zwey mit euch reden moͤge. Wie viel begehret ihr / daß ich euch auff diese Chach leihe?

Antonia. Dreyhundert Reichsthaler.

Rabbi. Wolt ihr / daß ich euch mit einem nifo sage!

Anton. Ey Rabbi Isaschar, machet die Sache nicht schwer! die Kette ist auffs wenigste zwey tausend Ducaten werth.

Rabbi. Frau Antonia! mit einem Wort ich wil euch auff diese Kette schilen – – –

Anton. Wie viel?

Rabb. Fuͤnff Silbergroschen! und ist noch heediph.

Anton. Was fuͤnff Silbergroschen? seid ihr toll?

[51] Rabbi. Mein / Frau Antonia, ich bin chacham, aber die Kette ist von Messing / und die Steinichen von Glaß. Das sag ich euch bey meinem Juͤdischen Alah!

Antonia. Wie kan es moͤglich seyn? es hat sie noch vor

1 *Chafol* (für hebr. chawol): Pfand.
Tof und Thuf: gut und wertvoll.
5 f. *col hefel hefalim* (für hebr. hawel hawalim): Eitelkeit der Eitelkeiten, es ist alles eitel (lat. vanitas vanitatum). Prediger Salomo 1, 2.
11 *omer:* Wort.
13 *Chach:* eigentlich Spange, hier: Kette.
15 *mit einem nifo:* eigentlich in eins, hier: mit einem Wort den Wert.
19 *schilen* (von hebr. schilem): zahlen.
21 *heediph:* mehr als genug, zu viel.
23 *chacham:* gelehrt, weise.
25 *Alah:* Eid.

zwey Stunden der tapfferste Cavalier an seinem Halse getragen!

Rabbi. Traut meinen Worten / und gebt die Kette dem wider / von dem ihr sie empfangen habet. Die Kette ist von Messing. Der braveste Cavalier? O es ist lo achat geschehen! ihr sind mehr / die derogleichen Ketten tragen!

Anton. So ist weder Treu noch Glauben in der Welt!

Rabbi. Von wem habt ihr sie geachazt?

Antonia. von Capitain Daradiridatumtarides.

Rabbi. Hoh? es ist der gröste maschgeh, Bescheisser und Betrüger in der Welt!

Antonia. Ey Rabbi, bedencket euch! was saget ihr?

Rabbi. Jch wolte es ihm in die Augen sagen / zu heteln, falsche Siegel nachzumachen / Handschrifften zuverfälschen / Brieffe zu erdichten / ist seines gleichen nicht! Er ist mir achthundert Kronen schuldig / und schier so viel neschech, und schweret alle Tage / daß ihn der Schet holen möchte. Aber ich sehe weder Zahaff noch Silber / noch Zinse. Das beste wird seyn / daß ich ihn lasse Thapsen / und in das Esur stecken.

Antonia. Es ist unmöglich!

Rabbi. Er ist mir nicht allein schuldig; es ist kein Kenaani, kein Kramer / kein Schneider / kein Schuster / kein Hutmacher / der ihn nicht auff seinem megillha oder Buche habe.

Antonia. Das sey GOtt in dem hohen Himmel geklagt!

5 *lo achat:* nicht nur einmal.
8 *geachazt:* empfangen, erhalten, bekommen.
10 *maschgeh:* Verführer.
13 *heteln:* betrügen, täuschen.
17 *neschech:* Zinsen.
Schet: Teufel.
18 *Zahaff:* Gold.
19 *Thapsen:* ergreifen, festnehmen.
20 *Esur:* eigentlich Fesseln, hier: Gefängnis.
22 *Kenaani:* eigentlich Kanaaniter, hier: Kaufmann.
24 *megillha:* eigentlich Schriftrolle, hier: Kontobuch.

Rabbi. Glück zu / Frau Antonia, ich muß bacek und dieses silberne aggan mit der Gießkanne einschliessen. Schaut dieses hat mir auch ein Cavalier, der den [52] Fürsten heute eingeladen / zu Pfande gegeben / gleich als sich die Gäste gewaschen / damit ich ihm Keseph zu Brodt liehe. Wenn sie werden Taffel gehalten haben / hat er mir versprochen das Saltzfaß mit den Tellern und Schüsseln dargegen zuschicken / damit ich ihm das Becken wieder folgen lasse / daß sie sich nach der Mahlzeit wider Thaharn können.

Antonia. O das Hertz möchte mir für Ungedult in tausend Stücken brechen; O meine Tochter! meine Tochter! in was Elend hast du dich und mich durch deine Unbesonnenheit gestürtzet!

Der vierdte Auffzug.

Bonosus. Palladius. Cleander.

CLeander. Jch bitte die Herren verschonen meiner mit derogleichen Wortgepränge; Sintemal ich sie nach Würden vor diesesmal nicht habe bewirthen können: Doch verhoffe ich mein guter Wille werde die Taffel / stat der Speisen besetzet haben.

Palladius. Mein werthester Cleander, ich bleibe ihm ewig verbunden.

Cleander. Herr Mareschall ich sterbe der Seinige.

Bonosus. Mein Herr Cleander, ich bitte / er wolle mir

1 f. *bacek . . . aggan:* bacek ist ungesäuertes, geweihtes Brot für den Gottesdienst, aggan bedeutet Becken oder Schale. Die allen früheren Herausgebern dunkel gebliebene Stelle ist also wie folgt zu verstehen: ›. . . ich muß das geweihte Brot und dieses silberne Becken . . . einschließen.‹

5 *Keseph:* Silber.

9 *Thaharn:* reinigen, waschen.

befehlen / er sol mich bereitwilligst finden / ihm zu dienen.

Cleander. Mein Herr / ich bin gantz der Seinige. Herr Mareschall / er denck unserm geheim Gespräche etwas nach. Fräulin Eudoxia ist eines Liebhabers von sonderbaren Vortreffligkeiten würdig.

Bonos. Dem Herrn meine Dienst!

Pallad. Mein Herr / ich bleibe der Seine.

[53] Cleand. Jch ersterbe der Herren bereitwilligst- und verpflichtester Diener.

Bonosus. Palladius.

Bonosus. Jn warheit / Herr Mareschall / die Speisen waren überaus köstlich.

Palladius. Der Stadthalter läst an Magnificentz nichts gebrechen / und verleuret lieber sechs Pfund Blut / als eine scrupel reputation.

Bonos. Aber / was sagen wir von Fräulin Eudoxia? Mein Herr Marschall / erseufftzet! sie ist wol verwechselt mit Selenen, und gehet ihr an Stande / Schönheit und Geschlecht ein weites voran.

Pallad. Herr Bonosus schertzet nach seiner Art. Wir wollen zu anderer Zeit davon reden.

Bonos. Er ist getroffen / man merckt es aus allen seinen Geberden.

Pallad. Sein Diener / mein Herr!

Bonos. Ein glückseliges Widersehen / mein Herr Mareschall.

15 f. *als eine scrupel reputation:* als in den Ruf eines Geizhalses zu geraten.

Flaccilla. Cleander.

Flaccilla. O werthestes Pfand der keuschesten Seelen / welches die Ehre der Schönesten zuretten auffgesetzet wird. O Haar / das höheren Ruhms würdig / als das jenige / welches die unzüchtigen Liebhaber um die Arme winden! O Haar / das zwar mit keinen Perlen / aber doch mit den Thränen der Keuschesten gezieret. O Haar / das keinem Golde der Welt gleich zu schätzen / und doch geringer geachtet wird / als Staub / von denen / die ihres grossen Reichthums sich zu eigenem Verderb mißbrauchen.

Cleand. Dionysi, nim den Degen / und folge mit den Pagen. Diodor, vermelde dem Herren Mareschall / daß ich seiner nebenst einer angenehmen Gesell-[54]schafft zu der Abend Collation in meinem Lustgarten gewärtig.

Flaccilla. Ach dort komt der Stadthalter! keiner ist / dem ich meine Wahre lieber feil bieten wolte als ihm / wenn mich nicht meine euserste Scham / und sein grosser Stand ihn anzureden / verhinderte! Jch weis doch wol / daß er einem vortrefflichen Fräulin auffwarte / welcher dieses ein angenehm Geschencke seyn würde! gehe ich? stehe ich? was thu ich?

Cleander. Allezeit Geschäffte. Jrre ich / oder bringet diese Frau eine Bittschrifft getragen?

Flaccilla. Ach! Er hat mich erblickt!

Cleand. Und scheuet sich mich anzureden? Woher meine Frau?

Flaccilla. Ach gnädiger Herr ‒ ‒ ‒

Cleand. Redet unerschrocken. Was traget ihr allhier verborgen? Wo kommt ihr mit diesen Haaren her?

Flaccilla. Ach genädiger Herr / sie sind zuverkauffen. Jch bin in dieser Meinung auff den Hoff kommen / sie iemand aus dem Frauenzimmer anzubieten.

5 f. *um die Arme winden:* Es war damals Mode, Armbänder aus den Haaren der Geliebten zu tragen.

14 *Abend Collation:* Abendessen.

Cleander. Trefflicher Handel! ich hõre in Ost-Jndien nehme man den Weibern Wolle von den Kõpffen / und mache Schnuptůcher draus. Was wird man bey uns nicht zu letzte mit den Haaren anfangen! last schauen eure Kramerey. Diß ist ein schõnes Haar! wo der Baum so anmuthig als die Blåtter / wolten wir uns wol in dessen Schatten ergetzen.

Flaccilla. Jhr Genaden kõnnen ihrer Liebsten mit diesem Geschencke nicht unangenehm seyn.

Cleand. Wir wissen von keiner Liebe; und da wir unsere Gewogenheit auff eine Person geleget håtten; wůrde uns ja keine Kahle beliebet haben.

[55] Flaccilla. Die Vornehmsten unter dem Frauen-Zimmer pflegen fremde Haare mit einzuflechten.

Cleander. Die offt an dem Galgen abgefaulet / oder von den Frantzosen außgefressen.

Flaccilla. Jch versichere eure Gnaden / daß von diesen Haaren nichts derogleichen zuvermuthen.

Cleander. Råudige Schaafe lassen die Wolle gerne gehen: und wenn der Fuchs kranck wird / so ståubet ihm der Balg.

Flacc. Ach – – – Ach!

Cleand. Warum erseufftzet ihr so hefftig? geschichts vielleicht / weil ich euch die Warheit sage?

Flaccilla. Ach Jhre Genaden irren in diesem Stůck hefftig!

Cleand. Warum weinet ihr? Wessen sind diese Haare?

Flaccilla. Jch bitte demůthigst / Jhre Genaden wolle meiner verschonen!

Cleand. Durchaus ich wils wissen! Sind sie vielleicht einer Todten abgeschnitten worden?

Flaccilla. Ach ihr Genaden / die Person ist bey Leben / und wol die Keuscheste die in dieser Stadt zu finden.

Cleander. Sind sie irgend einer geistlichen Jungfrau?

Flaccilla. Ach!

16 *Frantzosen:* Syphilis (morbus gallicus).

Cleander. Saget sonder Weinen heraus / wessen sind sie?
Flaccilla. Ach Jhr Genaden / sie sind ‒ ‒ ‒
Cleand. Wessen? Nun fort.
Flaccilla. Ach! meiner einigen Tochter.
Cleand. Also! Weil der Vogel nicht gelten will / so verkaufft ihr die Federn! betrůbet euch nicht / meine Frau! mich důnckt / ich solle euch irgendswo vor diesem gesehen haben. Wo wohnet ihr?
Flaccilla. Ach!
Cleander. Es muß etwas auff sich haben / daß sie sich nicht [56] meldet. Wie ist euer Name?
Flaccilla. Jch bin eurer Genaden Dienerin.
Cleander. Jch frage nach dem Namen.
Flaccilla. Ach eure Genaden / ich heisse Flaccilla.
Cleand. Und die Tochter?
Flaccilla. Sophia.
Cleand. Jst nicht euer Ehemann Possidippus genennet worden?
Flaccilla. Ach ja!
Cleander. Was treibet euch solchen Handel zu fůhren?
Flaccilla. Die eusserste Noth / mein Leben / und der Tochter Ehre zuretten.
Cleand. Seid ihr denn aller Mittel so gantz entblősset? weinet nicht! weinet nicht! was begehret ihr fűr die Haare?
Flaccilla. Es wird in Eurer Genaden Belieben gestellet.
Cleand. Servili, fűhre sie in das Haus / und lasse ihr ein tutzend Ducaten zustellen. Verlasset euch auff mich! und wo euch was gebricht / so sprechet mich sicher an.

Cleander. Dionysius.

Cleander. Zurůck ihr Diener und Pagen! Dionysi komm hieher! kennest du diese Frau?
Dionysius. Sehr wohl / genådiger Herr / sie ist aus einem der berůhmtesten Geschlechter dieses Landes.

C l e a n d e r. Und ihre Tochter.

D i o n y s. Die Schönste und ärmeste / die irgend anzutreffen: aber / die zugleich den Ruhm der Keuschheit hinweg trägt.

C l e a n d e r. Die Jungfern sind alle Keusch / weil niemand mit Geschencken oder Fragen auffwartet.

D i o n y s. Gnädiger Herr / sie ist so hoch und offt bewehret / daß an ihrer Keuschheit nicht zu zweiffeln. Es hat nicht gemangelt an derogleichen Auffwartern / die bey ihrem höchsten Armuth ihr Goldes genung [57] gebothen haben / und dennoch nichts außgerichtet.

C l e a n d e r. Hab ich sie nicht irgend gesehen?

D i o n y s i u s. Sie hält sich trefflich eingezogen. Doch erinnere ich mich / daß sie vor dreyen Tagen in der Kirchen eurer Gnaden recht gegen über gesessen.

C l e a n d. Meinest du dieselbe in den weissen Haaren / und schwartzen Kleidern / nach welcher ich bald hernach fragen lassen?

D i o n y s. Eben dieselbe.

C l e a n d. Wohl / wir wollen sie auch auff die Prüfe setzen; Jch will dir Gelds genung reichen lassen. Verfüge dich noch heute zu ihr / und versuche / ob sie zubewegen.

D i o n y s. Gnädiger Herr / ich versichere Eure Gnaden / daß man mich in das Haus nicht lassen wird: oder / wo ich ja / als eurer Genaden Diener / eingelassen werde / und von dergleichen Sachen zu reden anfange / eines gewissen Schimpffs werde gewärtig seyn müssen.

C l e a n d. Thu was ich befohlen. Wofern sie so fest auff ihrer Keuschheit hält / so falle das Haus an / nim sie mit Gewalt heraus / und liefere sie uns auff den Hoff. Meine Diener sind starck genung dir beyzustehen.

D i o n y s. Genädiger Herr / dieses Stück siehet etwas weitläufftig aus.

C l e a n d. Thue was ich befehle; Du verstehest meine Ge-

5 *weil:* dieweil, solange wie.
9 *Auffwartern:* Bewerbern, Antragstellern.

dancken nicht. Berichte mich mit ehesten / wie es abgelauffen. Jn dem Lustgarten werde ich anzutreffen seyn.

Dionys. Mein Herr hat die Federn gesehen / es scheinet er wil den Papagoy selbst haben. Doch ich bin ein Diener! Es stehet zu seiner Verantwortung.

Coelestina. Camilla. Palladius.

Coelest. Daß man zwischen ihm und Fråulin Eudoxia [58] eine Heyrath schliessen wolle?

Camilla. Diß hab ich glaubwůrdig vernommen.

Coelestina. Camilla gehe zu meiner Nåterin / und sage / daß sie mir meinen angedingeten Sterbekůttel verfertige. Eudoxiae hohes Geschlecht und vornehme Freundschafft låsset mich nu nichts mehr hoffen!

Camilla. Werthe Jungfrau / es sind mehr vortreffliche Månner verhanden als Palladius! man findet ja seines gleichen noch! můssen es denn lauter Mareschalle seyn?

Coelest. Was sagest du von dem Mareschall? ich liebe nicht seinen Stand / sein Gut / sein Geschlecht / sondern nur ihn allein! ach / daß er der årmeste auff der gantzen Welt wåre / und ich die grősseste Princessin / so kőnt ich ja vielleicht Mittel finden ihn zu meiner Liebe zu bewegen.

Camilla. Jch glaube bey meiner Seelen Seeligkeit / und wolte darauff sterben / daß unter allen Jungfrauen in dieser Stadt nicht eine / ja unter Eilff-Tausenden kaum eine zufinden / die dieser Ketzerey zugethan.

Coelest. Vielleicht ist in dieser Stadt / ja unter Eilfftausenden / nicht eine / die verstehe / was rechte Liebe sey. Sie lieben Geld / sie lieben Stand / sie lieben Ehre / und wenn sie sich in ihrem Sinn betrogen finden so verkehret sich die feurige Liebe in unauslőschlichen Haß. Jch liebe

11 *angedingeten:* bestellten.
24 *Eilff-Tausenden:* Anspielung auf die Legende der 11 000 Jungfrauen zu Köln.

diß an Palladio, was ihm keine Zeit / keines Fůrsten Ungenade / keine Kranckheit / kein Zufall nehmen kan / nemlich seine Tugend.

C a m i l l a. Jch hasse diß an Palladio, was ihm keine Zeit / kein Unfall / keine Widerwertigkeit nehmen wird / nemlich seine hartnåckigte Undanckbarkeit.

[59] C o e l e s t. O / er komt selber! was hindert mich daß ich ihm nicht entgegen gehe?

C a m i l l a. Last uns in der Thůren stehn! meine Jungfrau wird dennoch Gelegenheit haben ihn anzusprechen.

P a l l a d. Das ist eine frembde Sache / die mir der Stadthalter erzehlet von unserm Capitain Daradiridatumtaride, daß er ihm seine Braut mit einer so trefflichen Gůldenen Kette verbunden! andere mögen hinfůro die Augen besser auffthun! doch ich schåtze mich glůckselig / nach dem ich Eudoxien erblicket / daß ich jener Bande so leicht erlediget worden. Aber / was ist dieses / ich dachte wol es wůrde an Coelestines Gesichte nicht fehlen! Der Jungfrauen meine Dienste.

C a m i l l a. Mich verdreust dieses Schauspiel långer anzusehen. Mich jammert der armseligen Coelestinen!

C o e l e s t. Mein Herr / ich dancke ihm von Hertzen fůr so werthes Anerbieten / und wůndsche zu der neuerlangten Ehre von dem Allerhöchsten ihm stets beståndiges Glůck und immerblůhendes Wohlergehen!

P a l l a d. Der Wundsch ist mir ůbermassen angenehm / und wåre noch angenehmer / wenn er nicht mit diesem Seufftzen besiegelt wåre.

C o e l e s t. Jch mag wohl seufftzen. Ja weinen möchte ich / wenn ich bedencke / welch einen werthen Freund ich verlohren.

P a l l a d. Die Jungfrau erzehle / wen sie verlohren / daß ich Gelegenheit nehmen könne mein Mitleiden gegen sie zu erweisen.

13 *ihm seine Braut:* sich seine Braut.

C o e l e s t. Mein Herr / ich habe ihn selbst verlohren / sein höherer Stand hat mir ihn geraubet! auch ist es vergebens / daß er mich seines Mittleidens versichert; weil ich es nie damals von ihm hoffen [60] können / da er noch der vorige Palladius gewesen.

P a l l a d. Mein Stand ist mir um keiner anderen Ursachen willen angenehm / als daß ich vermeine / in und durch denselben meiner Werthen mehr und angenehmere Dienste zu leisten.

C o e l e s t. Wolte GOtt / ich könte derselben seiner Werthen auffwarten!

P a l l a d. Meine Jungfrau müste ihr denn selbst auffwarten.

C a m i l l a. O falsche Wort! O verlarvetes Gesicht!

P a l l a d. Was sagt Jungfrau Camilla?

C a m i l l a. Nichts / als daß ihre Genaden in dem Wahn / daß sie Fräulin Eudoxien vor sich haben.

P a l l a d. Warum das? verdienet Jungfrau Eudoxia nicht alle Ehrenpflicht?

C o e l e s t. Mein Herr / ich muß es gestehen / daß sie die höchste verdiene: weil sie dem Gefallen / welchem nichts / als die Vollkommenheit selbst gefallen kan. Jch wündsche nur / daß selbige ihm ewig gefallen möge!

P a l l a d. Sie gefällt mir nicht anders / als alle Fräulin von Tugend und Stande / welchen ich schuldig bin mit Darsetzung meines Lebens zu dienen; und Jungfrau Coelestina hat nicht anders von mir zu vermuthen / als eine auffrichtige Gewogenheit.

C o e l e s t. O kalte Worte! mein Herr Palladi! ich bitte / er sey auffs wenigste eingedenck / daß Coelestine sich glückselig schätzen würde / wenn mein Herr Gelegenheit finden möchte / sich ihrer Güter und Mittel zu gebrauchen.

P a l l a d. Habe ich nicht Ursach mich über Jungfrau Coelestinen zu beklagen / die mir ihre Güter anbeut / und die Gunst versaget / das ist / die Schalen anbietet / und die Frucht vor sich behält.

C o e l e s t. Man überreichet die Frucht keinem / dem sie

nicht [61] angenehm / vornemlich / wenn sie für sich selbst unwerth. Solte sich aber Gelegenheit finden / in welcher ich darthun könte / wie hoch Coelestine Palladium ehre / wolte ich kein Bedencken tragen / dieses mein weniges Leben vor das seine auffzusetzen.

Pallad. O auffrichtiges Gemüth! Warum laß ich mich länger meine eigene Fantasien verleiten? Wolte GOtt / wertheste Jungfrau / mir were möglich ihr mit gleicher Liebe und Ehren-Neigungen zu begegnen. Unterdessen / gebe ihr ich mich selbst zu einem Pfande der von mir versprochenen Dienste / und bitte sie / sie geruhe zu glauben / daß sie die einige sey / welche durchaus und allein über Palladium gebieten mag.

Coelestina weinet.

Camilla. Mein Herr Palladi, wir haben die hohen Worte des Hofes längst kennen lernen!

Pallad. Der Hoff führe solche Worte / wie er wolle! meine Worte sollen ewig feste bleiben. Jch schliesse mit dieser Faust / mit welcher ich die ihre umfange / die ich inbrünstig küsse.

Coelest. Mein Herr Palladi, was werde ich ihm für so werthes Geschenck übergeben können / daß ihm angenehm?

Pallad. Jch begehre nichts / als ihre mir zuvor versprochene Gewogenheit!

Camilla. Meine Jungfrau / ich höre Volck ankommen.

Coelest. Jch bitte / mein Herr Palladi, trete etwas mit ab in mein Hauß / in welchem er über alle zu gebieten!

Selenissa. Antonia.

Antonia. Jch bin das allerelendeste Weib / das auff der Erden lebet!

[62] Selenissa. Der Auffschneider! der Holuncke! der Cujon! der Berenheuter! der Landlügner! der Ehren-Dieb!

32 *Cujon:* Schuft.

der Ertzberenheuter! Jch elende verlassene Jungfrau! was fange ich an?

Antonia. So gehts / wenn man der Eltern guten Rathe nicht folgen will.

Selenissa. Jch will ihm seine falsche Kette um den Hals werffen / und den Buben darmit erwůrgen.

Antonia. Jhr werdet beyde zu Landlåuffern werden / und ich vor Wehmuth sterben můssen.

Selenissa. Ey Frau Mutter! es ist noch Rath / Palladius liebet mich von gantzer Seelen. Er wird kein Mittel unterlassen mich von dem Betrieger loß zu machen: Bonosus ist auch der meine / nehmet nur die Můhe auff euch / und redet ihn an / ich wil Gelegenheit suchen Palladium zu finden. Es sind ja Mittel vor alles Ubel / ausser dem Tode.

Antonia. Sol ich gehen / und soll unsre eigne Schande an die grosse Glocke schreiben? Die du vorhin so liederlich verachtet hast / werden nunmehr viel nach dir fragen.

Selenissa. Frau Mutter / man muß das euserste versuchen! Jch wil mich lieber lebend begraben lassen / als mit diesem leichtfertigen Menschen vermåhlen. O sehet! sehet! das Glůck selber spielet mit uns. Herren Palladii kleiner Page kommet dort hervor / durch diesen kan ich ihm auffs beqvemste meine Meynung wissen lassen.

Florianus. Antonia. Selenissa.

Florian *(Hat beyde Hånde voll Zuckerwerck / und taumelt von einer Seiten zu der andern):* A sa! sa! sa! Jch bin sticke wicke voll! daß ist ein [63] frőlicher Tag / ich wolte / daß diß Leben hundert Jahr wåre / und dieses der erste Tag seyn solte! Der Herr Mareschall wird Morgen ein trefflich Pancket halten. Deswegen hat er mich nach

7 *Landlåuffern:* Landstreichern.
27 *sticke wicke voll:* bis obenhin, zum Ersticken vollgestopft.

hause geschickt / daß ich es bestellen soll / wie ich aber die Thüre heraus gehen wolte / begegnete mir Jungfer Rosinichen / die ließ confect herauff tragen. Jch küssete sie einmal / und sie füllete mir alle beyde HosenSäcke voll Zucker Näscherey.

Selenissa. Was saget er von dem Mareschall? Er wird ja nicht von dem Palladio abgeschafft worden seyn?

Florian. Sehet aber / was trug sich ferner zu; es blieb bey diesem Glücke nicht / Jungfrau Camilla ruffte mir zurück / und fragte ob ich nicht Durst hätte / und reichte mir eine grosse silberne Kanne von rotem süssen Weine / die schier so groß war / als ich selbst. Jch erbarmete mich darüber / und tranck aus allen meinen Kräfften / biß nicht ein Tropffen mehr darinnen übrig. Hernach lieff ich fort / und sah' daß Jungfer Coelestina an statt einer Thür zwey gebauet hatte! nu das gehet auff Hause zu.

Selenissa. Florentin, steh stille.

Florian. Ho la! wer ruffet mir?

Selenissa. Kennest du mich nicht mehr Florian?

Florian. O Jungfrau Selenissa, habt ihr doch zwey Häupter und vier Augen bekommen! O sehet doch / wie viel Sonnen! eine / zwey / drey / viere / fünffe.

Selenissa. Höre doch Florian, was ich dir sagen will?

Florian. Guten Morgen! guten Morgen / Frau Antonia!

Antonia. Es ist ja nicht Morgen / ist es doch schon über Mittag.

Florian. Jungfrau Selenissa, wolt ihr ein paar überzogne Mandelkernen haben / oder ein Stücke Marzi-[64]pan / die Lippen werden so süsse darnach werden.

Selenissa. Wo hast du so viel confect bekommen?

Florian. Wo! bey Jungfrau Coelestinen ist die gantze Taffel voll gesetzet. Wir werden Hochzeit machen: Der Herr Marschall und Jungfrau Coelestina, und ich und Jungfrau Rosinichen.

4 *HosenSäcke:* Hosentaschen.

S e l e n i s s a. Dienst du nicht mehr Herren Palladio?

F l o r i a n. Warum solte ich nicht mehr bey ihm dienen / sonderlich nun es so stattlich bey uns hergehet / morgen wird er uns allen neue Hosen und Måntel geben von gelbem Sammet mit grůnen gůldenen Posementen.

A n t o n i a. Was machst du denn bey dem Mareschall?

F l o r i a n. Jhr seyd truncken / Frau Selenissa, und auch ihr Jungfer Antonia! wenn ich bey Herrn Palladio bin / so bin ich ja bey dem Mareschall; wisset ihr nicht / daß mein Herr ist Marschall worden?

A n t o n i a. O daß erbarme GOtt in Ewigkeit! Tochter / Tochter / wir sind verlohren.

S e l e n i s s a. Frau Mutter / es ist noch nichts nicht verlohren.

F l o r i a n. Jungfrau Selenissa! Auff meines Herren Hochzeit wollen wir mit einander tantzen!

S e l e n i s s a. Ja wenn dein Herr wird mit mir Hochzeit haben.

F l o r i a n. Nein / nein! er wird mit Jungfrau Coelestina Hochzeit haben.

A n t o n i a. Jch rauffe mir die Haare aus dem Kopffe.

S e l e n i s s a. Wer hat das gesaget?

F l o r i a n. Jch habe es gesaget / mein Herr hat es gesaget / und Jungfer Coelestine hat es gesaget. Ach! er hat Jungfrau Coelestinen eine Schnur Perlen gegeben sechs Ruten lang / jedwede Perle war so groß / als mein Kopff / und einen grossen gůldnen Ring mit einem glåntzernden Steinlein / nicht [65] einen solchen Rinck / wie ihr mir neulich verehret; Nein / er war mehr als zwǒlff Silbergroschen werth.

S e l e n i s s a. Was hat ihm Jungfrau Coelestina gegeben?

F l o r i a n. Sie kůsset ihn / daß es eine Lust zu sehen war / gab ihm einen Hauffen Rosinen / Feigen / ůberzogne

5 *Posementen:* Borten.
25 *Ruten:* Rute, altes Längenmaß zwischen 2,80 und 5,30 m; unterteilt in 10 Fuß.

Mandelkernen / ůberzogne Zienement / sie ließ die Musicanten holen / und stackte ihm an den kleinen Finger ein so glåntzend Steinlin / mit einem Ringe / daß ich mich drůber verwundern muste. *(diese Worte singet er:)* Jch muß heimgehen / heimgehen / lasset mich heimgehen / daß ich bald wiederkommen kan; Jch hőre so gerne singe Christoffen zu / der hat ein krummes Eisen von Messing / das stecket er in den Hals / und zeucht es immer auff und nieder / biß seine Gedårme zu schnurren beginnen.

Selenissa. Wilst du nicht deinem Herren ein kleines Brieflein bringen / welches ihm ein guter Freund geschicket.

Florian. Gar gerne. Gebet mir den Brieff her.

Selenissa. Lauff nach Hause; Wenn du wirst vorůber gehen / so klopffe hir an: ich wil den Brieff suchen.

Florian. Guten Tag denn / Jungfrau Antonia, guten Morgen / Frau Selenissa!

Antonia. O Tochter! Tochter! welch ein Glůcke hast du muthwillig verschertzet?

Cyrilla. Daradiridatumtarides.
Sempronius.

Cyrilla. Qvibus, qvabus! sanctus Haccabus. Surgite mortis; fenitur sic judis. Ach Jusuph du lieber Mann / bist mein Compan. Pater nisters gratibis plenis.

Darad. Unsre Erden-eindrůckende Schenckel / les porte-[66]corps de moy mesme, werden nunmehr den betlichen Himmel meiner irrdischen Juno, nieder treten sollen. Weil wir aber es an nothwendigen Speisen nicht mụssen erman-

1 *Zienement:* Zimt.
7 *krummes Eisen von Messing:* Posaune.
21–23 *Qvibus . . . plenis:* Cyrillas Worte sind teils Unsinn, teils verballhornte Vulgatazitate. »Haccabus« mag für Jacobus stehen. »Surgite . . . judis«: Steht auf, ihr Toten! Es kommt der Richter; »Pater . . . plenis«: Vater unser, voller Gnaden.
24 f. *les porte-corps . . . mesme:* Träger meines eigenen Leibes.

geln lassen, wollen wir unterdessen diesen Ring zu Pfande setzen / biß wir Gelegenheit haben selbigen wider an uns zubringen. Mein Diego hat die alte Cyrille, la diablesse des femmes, hieher bestellet / die wollen wir nun erwarten / denn wenn sie zu uns in das Hauß kommen solte wuͤrde es nur Argwohn verursachen.

Cyrilla. Der Kackelthen Drumtraris hat mich auff diesen Ort erbitten lassen / er wird vielleicht / weil er Hochzeit machet / meiner Huͤlffe von noͤthen haben!

Daradiri. Dort kommet sie hergeschlichen.

Cyrilla. Da kommet er gegangen / Cosper, Baltzer, Melcher zart / Herodis hatte einen langen Bart / sie liegen zu Koͤllen am Rheine.

Darad. Bonjour, Bonjour, Madame Cyrille.

Cyrilla. Was saget ihr / o Hure / o Hure Mame Zyrille! och Herr! och Herr GOtt! heissen mich doch nun alle Leute eine Hure / sie thun mir groß Unrecht! ich halte Caͤtherle hat irgend was gesaget.

Darad. Je vous recontre heuresement.

Cyrilla. Seyd ihr contra Band.

Darad. Qvoy!

Cyrilla. Hoy! hoy!

Darad. Comment vous estes vous porté.

Cyrilla. Schreyet ihr uͤber mich Mord und Weh? O mein Lebenlang habe ich kein Kind umgebracht!

Darad. Qvel Diable.

Cyrilla. Daß ich sie sabele.

3 f. *la diablesse des femmes:* Weibsteufel, Hexe.
7 *Kackelthen Drumtraris:* Kapitän (capitano: Hauptmann) Daradiridatumtarides.
11 f. *Cosper, Baltzer, Melcher:* Kaspar, Balthasar und Melchior sind die Namen der hl. drei Könige, der Überlieferung nach im Kölner Dom bestattet.
19 *Je ... heuresement* (für frz. heureusement): Ein Glück, daß ich Euch treffe.
21 *Qvoy:* Was!
23 *Comment ... porté:* Wie befindet Ihr Euch?
26 *Qvel Diable:* Was für ein Teufel!

Darad. Jhr verstehet den Teuffel.

Cyrilla. Ach Herr / ich verstehe mich nicht mit dem Teuffel. Ach! in principipis *(sie macht ein Creutze)* [67] ero verbibus, was erlebet man auff seine alte Tage nicht?

Darad. Jhr verstehet mich nicht recht / Frau Cyrill. Jch hab anders mit euch zu reden / Entendez vous.

Cyrilla. Tand zu der Kuh. Herr eine gute melcke Kuh ist kein Tand.

Darad. Ey mit dem Narrenpossen / Ecutez ecutez, Frau Cyrilla.

Cyrilla. Ja Herr / ich bin heut in den Koth gefallen / die schelmischen Jungen die Brodtschüler haben mich hinein gestossen.

Darad. Jch darff nöthig Geld.

Cyrilla. Das sagt die gantze Welt.

Darad. Könnet ihr mir nicht auff diesen Ring etwas zuwege bringen? Doch ihr müstet ihn in einen Ort tragen / daß er nicht erkennet wird.

Cyrilla. Das will ich gar gerne thun. Aber Herr Muscetariis, wenn wolt ihr das Geld haben?

Daradir. Noch heute vor Abends / si cela est dedans la sphere d'activite de vostre cognoissance.

Cyrilla. Es ist ein schweres gehacke / rothe Eyer in die Mohnsantzen. Doch will ich sehen / was ich kan zuwege bringen.

3 f. *in principipis . . . ero verbibus:* verballhornt für: Im Anfang war das Wort. Johannes 1, 1.
6 *Entendez vous:* Versteht Ihr?
7 *melcke Kuh:* Milchkuh.
9 *Ecutez ecutez:* Hört, hört!
12 *Brodtschüler:* arme Kurrendeschüler, die vor den Häusern um Brot sangen.
14 *darff:* benötige, brauche.
21 f. *si . . . cognoissance:* falls dies im Tätigkeitsfeld Eurer Bekanntschaft liegt.
24 *Mohnsantzen:* verderbt aus tschech. mazanec, eine besonders zu Ostern beliebte runde Eierstolle; hat nichts mit Mohn zu tun.

D a r a d. Kommet fein zeitlich wider / und lasset mich durch Don Diego wissen / was ihr verrichtet. Adieu.

C y r i l l a. Nu der liebe GOtt bewahre euch. Das sagen die sieben Siegel / das alle Fische werden brůllen / die Engel werden weinen / und werffen sich mit Steinen / die Wege werden schwimmen / die Wasser werden glimmen / die Gråßlein werden zannen / und alle hoche Tannen. Da kommet her Feccphoniis, dem werde ich den Ring geben / und werde sprechen / daß ihm Jungfrau Coelestina dieses Liebes Pfand geschicket. Die Perlen will ich vor mein Kåtterlein behalten / und den Kackelthen wil ich anderwerts wo ich kan / forthelffen.

[68] S e m p r o n. Ut nox longa qvibus mentitur amica diesqve. Horatius in Satyr. Tot sunt in amore dolores. Virgilius in Ecclog. Wo mag sich Cyrille so lange auffhalten / suspicatur animus nescio qvid mali, videone illam? sie ist es selbst.

C y r i l l a. Jm Himmel / im Himmel / sind Freuden so viel / da tantzen die Engelchen und haben ihr Spiel.

S e m p r o n. Expectata venis!

C y r i l l a. Fragt ihr / ob Speck zu Wehn ist? O ich bin mein Lebenlang nicht dorte gewesen.

S e m p r o n. Διὰ τί οὕτω βραδέως ἥκεις;

C y r i l l a. Nein / der Tod hat mich nicht gekůsset.

3–7 *Das sagen . . . Tannen:* Verballhornung der Offenbarung Johanni 8, 1–7.

7 *zannen:* auseinanderklaffen (Jacob Grimm, *Deutsches Wörterbuch,* Bd. 15, Leipzig 1956, Sp. 256 ff.).

8 *Feccphoniis:* für: Sempronius.

13 f. *Ut . . . diesqve:* Wie die Nacht denen lang wird, denen die Geliebte nicht Wort hält, und der Tag. Horaz, *Episteln* (nicht *Satiren*) I, 1,20.

14 *Tot . . . dolores:* So viele Leiden gibt es in der Liebe. Nicht in Vergils *Eklogen.* Powell vermutet *Aeneis* V, 5 als Quelle.

16 *suspicatur . . . illam:* mein Herz ahnt Schreckliches, sehe ich sie nicht?

20 *Expectata venis:* wörtlich: Du kommst erwartet, hier: Ihr werdet bereits erwartet.

23 *Διὰ . . .:* Warum kommt Ihr so langsam?

Sempron. Non asseqveris divinas ratiocinationes meas, nec satis aptè respondes ad qvaesita.

Cyrilla. O Herr / ihr redet gar zu geschwinde. Jch weis nicht / ob es Böhmisch oder Polnisch sey.

Sempr. Loqvar ergo tardius.

Cyrilla. Woher irgend ein Marder ist?

Sempr. Antwortet purè.

Cyrilla. Beym heilgen Creutze / ich leid es in die Långe nicht! Last mich mit der Hure ungestichelt / bin ich eine / so bin ichs vor mich! Was ist euch daran gelegen? mir geschicht unrecht! ich bin so reine / als ich von Mutterleibe geboren worden bin! alle Leute heissen mich heute eine Hure. Ketterle / Ketterle muß geschwatzet haben.

Sempr. Bildet euch doch nicht dergleichen Gedancken ein / absit injuria!

Cyrilla. Nun sehet / ihr heisset mich eine Pfaffenhure / und ich soll immer schweigen.

Sempr. Ey nein doch / ich rede Ciceroniane / und ihr verstehet es nicht.

Cyrilla. Jch verstehe genung / daß ihr mich stichelt / und außholippert.

Sempr. Jch frage / qvid respondet Coelestina?

Cyrilla. Ja / ja / sie ist verwundet Coelestina, sie lås-[69]set euch einen freundlichen guten Tag vermelden.

Sempron. Evax!

Cyrilla. Nein Herr / es ist nicht Kickskacks. Sie nahm die Perlen / und hieng sie an ihren Hals. Ach sie thåt so freundlich das liebe Kind!

1 f. *Non ... qvaesita:* Ihr begreift nicht meine göttlichen Gedanken und antwortet unpassend auf meine Fragen.
5 *Loqvar ergo tardius:* Ich werde also langsamer sprechen.
7 *purè:* einfach.
15 *absit injuria:* ich wollte Euch nicht beleidigen.
18 *Ciceroniane:* klassisches Latein wie Cicero.
21 *außholippert:* ausscheltet, verhöhnt.
22 *qvid respondet Coelestina:* Wie lautet Coelestinas Antwort?
25 *Evax:* Juchhei!

Sempron. Deus sum!
Cyrilla. Sie gab sie nicht Matthesen um: sie behilt sie selber.
Sempron. Qvid me beatius?
Cyrilla. Sie sagte nichts von Pilatzius!
Sempr. Aber / num qvid addidit?
Cyrilla. Ob sie Vieh hůtt?
Sempr. Thut sie mir sonst kein praesent?
Cyrilla. Ja Herr / sie kůsset euch die Hånd / und schicket euch diesen Rinck; Sie låsset euch darneben einen guten Abend sagen / und andeuten / daß ihr auff den Abend um neune sie besuchen sollet in dem hinter Garten.
Sempron. Υμὴν ὦ ὑμέναιε, ὦ ὑμήν.
Cyrill. Simen wird nicht auff die Zeit zu Hause seyn.
Sempron. Jch werde rasend prae laetitia atqve gaudio.
Cyrilla *(Macht ein Creutz).* Je behůte GOTT / Herr Ficfonys! ich hab es lange gedacht / daß er nicht muß klug seyn / weil er so seltzame Worte im Reden gebraucht.
Sempron. Jch bin nicht unsinnig / sondern es ist eine Art also zu reden bey den Lateinern.
Cyrilla. Nu wollet ihr denn auff den Abend kommen?
Sempr. 'Ασμένως ποιήσω.
Cyrilla. Nicht zu Herr Asman, sondern zu Jungfer Coelestinen.
Sempron. Sic, sic, sic, sic, sic, sic, sic, sic, sic, sic.
Cyrilla. Je Herr ist doch keine Ziege dar!
Sempron. Jch will schon da seyn mellea.
Cyrilla. Herr sie wird euch keine Merlin geben.
[70] Sempr. Unterdessen will ich gehen / und auff diesen

1 *Deus sum:* Ich fühle mich wie ein Gott!
4 *Qvid me beatius:* Wer ist glücklicher als ich?
6 *num qvid addidit:* Aber hat sie sonst noch etwas hinzugesetzt?
13 Υμὴν . . .: O Brautgott, gelobter Brautgott!
15 *prae . . . gaudio:* vor Glück und Freude.
22 'Ασμένως . . .: Mit Freuden werde ich es tun.
25 *Sic, sic . . .:* Ja, ja . . .
28 *Merlin* (von frz. merle): Amsel.

Rinck hoc amoris pignus, hanc fidei arrham, dreissig tausend Epigrammata, siebenhundert Sonneten / Septenarius est numerus mysticus, und hundert Oden machen.

C y r i l l a. Jch will auff den Abend mich in den Garten verstecken / daß Herr Sephonius glaubt / Jch sey Coelestine, und kriegt er mich einmal / so muß er mich behalten sein Lebenlang.

Sophia. Flaccilla. Dionysius.

Palladii Gesinde mit blossen Degen um ihn her. Dionysius hat die Jungfrau auff den Arm. Flaccilla laufft hinter ihnen her.

S o p h i a. Gewalt / Gewalt! O rettet! rettet! kommet mir zu Huͤlffe / die ihr Ehre und Keuschheit achtet.

F l a c c i l l a. Kommt mir zu Huͤlffe / rettet! rettet!

D i o n y s. Fort ihr Bruͤder / fort! fort! gebet Feuer wo iemand kommet.

S o p h i a. O Himmel / ist denn keine Huͤlffe mehr verhanden!

Horribilicribrifax. Harpax.

H o r r i b. Jch hoͤre Gewalt ruffen! sind die Pistolen richtig?

H a r p a x. Recht wol / gestrenger Herr!

H o r r i b. Solte einer sich unterstehen eine Gewalt dar zu veruͤben / wo der grosse Horribilicribrifax (Essend' io persona d'altissimo affare) zugegen / da muͤste der Himmel druͤber brechen / und die Erden in lauter Staub ver-

1 *hoc . . . arrham:* dieses Unterpfand meiner Liebe und Treue.
2 f. *Septenarius . . . mysticus:* Sieben ist eine mystische Zahl.
24 f. *Essend' . . . affare:* Bin ich doch eine Persönlichkeit von höchster Bedeutung. Vgl. Andreini XXVII, 52^b.

kehret werden. Kommet / wir wollen folgen. Qvesta è di cosa decente al esser mio.

Harpax. Jch folge. Wo Noth verhanden / wird mein Herr [71] gewiß der fertigste zu dem Lauff seyn / und ich der nechste hinter ihm!

Der fůnffte Auffzug.

Florianus. Selenissa. Antonia.

ANtonia. Bey Bonoso ist nichts mehr / wie du siehest / zu suchen / er verachtet / und nicht sonder Ursach / diese / die vorhin seiner nicht geachtet.

Selenissa. Es ist daran nichts gelegen / wenn Palladius noch unser ist.

Antonia. Jch fůrchte / wir werden bey Palladio ankommen / wie wir verdienet! ich sehe nichts / als unser hŏchstes Unglůck in bester Vollkommenheit.

Selenissa. Auffs wenigste hoffe ich Antwort auff mein Schreiben zu erhalten. Mich důnckt / ich sehe den kleinen Florian daher gelauffen kommen.

Florian. *(singend):*

Lustig ihr Brůder: auff lasset uns leben!
Lesbia meine Freud' hat sich ergeben!
Wer mich wil neiden / der můsse zuspringen!
Lustig ihr Brůder / es wil mir gelingen!

Hola! *(er jauchtzet etliche mahl nacheinander / nachmals fåhret er fort):* Guten Morgen / guten Morgen / Jungfrau Selenissa.

Selenissa. Es ist nunmehr Abend / nicht morgen.

Florian. Um welche Zeit des Abends wird es Abend?

Antonia. Wenn die Sonne wil untergehen.

1 f. *Qvesta ... mio:* Das ist eine Sache, die ganz auf mich zugeschnitten ist.

Florian. O warumb geht die Sonne nicht alle Abend dreymal unter / so gienge ich mit meinem Herren jedwedern Abend dreymal zu Gaste.

Selenissa. Was machst du mit der Fackel?

[72] Florian. Jch will sehen / ob gut Wetter ist / Jungfrau Selenissa, um welche Zeit des Abends schlägt es sechse?

Anton. Wenn es vier Viertel nach fünffen geschlagen hat.

Selenissa. Bringest du mir keinen Brieff / mein Kind?

Florian. Bin ich euer Kind? so seyd ihr meine Mutter: warum habt ihr mich denn keinmal geküsset?

Selenissa. Wo du mir einen guten Brieff bringst / so will ich dich zweymahl küssen!

Florian. O ich habe einen schönen Brieff mit rothem Lack zugesiegelt. Jn meines Herren Schreibekammer ligen etliche tausend Brieffe; wo ihr mich für jedweden küssen wollet / wil ich euch morgen beyde Hosen Säcke und mein Hemde voll bringen / aber für die grossen / an welchen die Schönen Siegel hangen / müsset ihr mich viermal küssen.

Selenissa. Hast du denn ietzunder keinen Brieff bey dir?

Florian. Ja / ja / mein Herr hat mir einen gegeben.

Selenissa. Laß mich den Brieff sehen!

Florian. Jhr müsset mir zuvor Tranckgeld geben.

Selen. Du solt auff meiner Hochzeit mit mir tantzen.

Florian. Nein / ich tantze nur mit meiner Rosinen! dis ist der Brieff!

Anton. Es ist seine eigne Hand.

Florian. Guten Tag / guten Tag! ich muß fort! Morgen um zwey zu Mittage / wenn Mitternacht ist / wil ich widerkommen / und mehr Brieffe mitbringen.

Antonia. Laß schauen / was hat er geschrieben.

Selenissa. O ich bin des Todes!

Florian. Lustig ihr Himmel / ich habe gewonnen
Sie / die Durchlauchtigste unter der Sonnen;
Lustig ihr Sternen / ich werde sie haben:
welche die Götter und Geister begaben.

(Gehet singend hinein.)

[73] Selenisse *(lieset den Brieff):* Wehlende und unbesonnene Jungfrau / die Zeit ist nunmehr aus / in welcher ich meiner Vernunfft beraubet / euch einig zu Gebote gestanden. Jzt erkenne ich meine Thorheit / und schertze mit eurer Unbedachtsamkeit. Die allerkeuscheste und vollkomneste Seele Coelestina hålt mich auff ewig gebunden / und wůnschet euch Glůck zu eurer Hochzeit mit dem elenden Auffschneider / welchen ihr euch allein zu stetem Schimpffe / wackern Gemůtern vorgezogen. Gehabt euch wohl mit ihm / und bleibet von mir / weil ihr meines Grusses nicht bedůrffend / ewig gesegnet! *(Selen. fålt nieder / und wird ohnmåchtig.)*

Antonia. Dieses Unglůck hab ich vor langer Zeit als gegenwårtig gesehen. Selene! Selene! *(Sie ziehet die Tochter hinein.)*

Daradiridatumtarides. Don Diego.

Darad. O rage! o dese Spoir! Daß můssen siebzehn hundert tausend Frantzosen walten / daß meine Braut so arm / und ich nichts / als lauter Betteley bey ihr zugewarten: das wåre ein Fressen fůr Capitain Daradiridatumtarides.

Don Diego. Was ich sage / hab ich aus glaubwůrdigem Bericht.

Darad. Da hat pour dire le vrai, ein Teuffel den andern beschissen / wer wil sie nun beyde wischen? Ha funeste object! bey der Seele des Großvaters von Machomet, die Ertzbestien zihen auf! als lauter Prinzessen! es bleibet bey Tausenden nicht! man kommt auf hundert tausend. Wenn man es aber bey dem Lichte besihet / und man mit einander verkoppelt / so sind es ohngefehr zwey Papire / die

1 *Wehlende:* hier: Wählerische.
17 *O rage! o dese Spoir!* (für frz. désespoir): O Wut, o Verzweiflung! Berühmtes Zitat aus Corneille, *Le Cid* I, 5,1.
23 *pour dire le vrai:* um die Wahrheit zu sagen.
24 f. *funeste object:* unheilvolle Angelegenheit!

Le Grand Diable des Juristes selber nicht zu Gelde machen kŏn-[74]nen; und kaum so viel kahle Marck bahres Geldes / daß man Arswische darvon auffs Scheishaus / und SchwefelLichter in die Kůchen kauffen kan. Doch / point du prouit, sie hat noch etwas von gŏldnen Ketten und Perlen / das muß hebraeisch lernen / dir in Vertrauen entdecket / Fendions le vent Morgen weil sie noch schlåfft! was nicht mitgehen wil / das nehmen wir / und sehen / ob unsere Klepper noch das Thor finden kŏnnen. Wir műssen anderswo unser Glůck suchen! faisons, selon le lieu, & le temps.

Selenissa. Antonia. Daradiridatumtarides.

Selenissa. Mit dem Klepper zu dem Thore hinaus? da soll dir der Teuffel ehe den Hals brechen / ehe es dazu kommet. Jch will ihn anreden.

Daradir. Voila, dort kommt meine Reiche.

Selenissa. Finde ich meinen Bråutigam so hier allein!

Daradir. Nenni, sondern vergesellet mit seinem unűberwindlichen Gedancken / avec un ceur d'un Mars. Was machet meine Werthe hier vor der Thűren?

Selenissa. Sie muß sehr unwerth seyn / weil ihr Geschencke so gering geachtet / daß es nicht an seinem Finger mehr Platz haben kan.

Daradir. Mort de ma vie, es gilt hir eins ums ander!

1 *Le Grand Diable des Juristes:* der Großteufel der Juristen.
5 *point du prouit* (für frz. bruit): kein Geschrei!
6 *hebraeisch lernen:* an den Juden verpfändet bzw. verkauft werden.
7 *Fendions* (für frz. fendons) *le vent:* Spalten wir den Wind! Daradiris Familienname ist »Windbrecher von Tausendmord«.
10 f. *faisons . . . temps:* handeln wir nach Zeit und Gelegenheit!
16 *Voila:* Sieh da!
18 *Nenni:* Nein, keineswegs.
19 *avec un ceur* (für frz. cœur) *d'un Mars:* mit dem Mut eines Kriegsgotts.
24 *Mort de ma vie:* Bei meiner Seele!

weil sie unsre Kette nicht wůrdiget an ihren Hals zuhencken / stehet uns auch der Rinck nicht an.

Selenissa. Wir sind niemals gewohnet / Ketten von Messing zu tragen.

Daradir. Cocqvette arrogante! Habt ihr doch keine bessre zubezahlen. Jch wil lieber Messing das mein eigen ist als geliehen Gold! oder habt ihr mich wegen des Geldes genommen? Jch halte diese Ket-[75]ten hőher / als aller nårrischen Jungfern Tocken-Kram! hab ich sie euch fůr golden gegeben? Jch habe sie dem Kőnige in China, als ich fůr dreyen Jahren mit den Tartern eingefallen / und ihr General gewesen / mit meinen eignen Hånden von dem Halse gerissen. Und daselbst schåtzet man Messing weit ůber Gold.

Selenissa. Ander Land / andre Sitten! wenn ich ihm zu arm / håtte er eine mőgen in China heyrathen / die etliche Kőnigreiche besessen håtte.

Daradir. C'est assetz. Je cherche vous. Andere kan ich ieden Augenblick haben. Als wenn mir nicht die Kőnigin von Monopotapa noch gestern durch einen eignen Curir ihr Kőnigreich håtte anbieten lassen / mit dem Bedinge / daß ich sie heyrathen solle!

Anton. Er heyrathe sie denn nach seinen Willen / und lasse mich und mein Kind unbetrogen.

Darad. Was? wolt ihr mir die Heyrath auffkůndigen? Outrage pour l'outrage! da soll euch der Donnerknall von Carthaunen darfůr erschlagen! euch zu Trotz můst ihr mich haben / Jhr sollet mich haben / und wenn ich euch gleich nicht haben wolte / so will ich dennoch euch anietzo behalten; damit ihr sehet / daß es nicht in eurer / sondern in meiner Macht stehe mit euch zuhandeln / zu thun und

1 f. *zuhencken:* zu hängen.
5 *Cocqvette arrogante:* Anmaßende Prahlerin!
9 *Tocken-Kram:* Puppenzeug.
18 *C'est . . . vous:* Hört auf! Euch suche ich.
26 *Outrage pour l'outrage:* Schmach für Schmach!

zu lassen / zu schalten und zu walten. Jch mag euch verschencken / verkauffen / verstechen / verjagen / verschicken / verwechseln / verbeuten / ihr seyd mein avec tous ces deffauts, nicht anders / als leibeigen; darnach habts euch zurichten / denn das ist unser endlicher / ernster / und ungnädigster Wille. *(Er gehet darvon.)*

S e l e n i s s a. Jch will mein Leben daran setzen / und nicht ruhen / biß ich seiner loß worden / oder ihn von dem Platze gebracht. Jch will den Capiten Horri-[76]bilicribrifax auff ein paar Worte zu mir bitten lassen. Der wird mir schon zu diesem Stück beförderlich seyn.

Coelestina. Palladius. Camilla.

C o e l e s t. Nunmehr befinde ich mich in dem Besitz höchster Glückseligkeit / nun ich seiner treuen Gegenliebe versichert.

P a l l a d. Welche in und um uns brennen und würcken soll / biß unsre Leiber in Aschen verkehret.

C o e l e s t. Auch unter der Aschen der erblichenen Leichen sol sie noch glimmen / und unsre auffgerichtete Grabzeichen sollen nichts anders seyn / als Denckmahle der schlaffenden Liebe / biß wir auff den Tag der grossen Vereinigung in Vollkommenheit der Liebe auffs neue ewig mit einander vermählet werden.

P a l l a d. Es ist numehr Zeit / den Herren Stadthalter zuersuchen. Wo sind die Diener?

C o e l e s t. Camilla komm und folge.

Cyrilla mit schönen Kleidern angezogen / und auffgeflochtenen Haaren.

2 *verstechen:* beim Ringelstechen verspielen.
3 *verbeuten:* einem andern als Beute überlassen.
3 f. *avec . . . deffauts:* mit allen diesen Bedingungen.
24 f. *zuersuchen:* aufzusuchen, zu besuchen.

Cyrilla. Verwundert euch nicht / daß ich so schöne bin / die Kleider hab ich bey einer Jüdin geborget / um Herren Vixephonigis eine Nase zu machen. Jungfer Coelestina ist nicht daheime / das weiß ich wol. Deswegen kan ich mich desto besser in ihrem Lust-Garten verstecken. Wo ich ihn diesen Abend recht betrüge / muß er mich sein Lebenlang behalten! Da komt der Monden. Sey mir gnädig du neues Licht / für das Fieber und auch die Gicht. u. d. g.

[77] *Selenissa. Horribilicribrifax. Harpax.*

Horrib. Sie zweifele nicht / er ist todt! es ist unmöglich / daß er leben kan / wenn sie sich meines Degens / mit welchem io rompe esserciti, e fracasso armate, metto Spavento al Cielo, al mare & al inferno, darzu gebrauchen wolte. Ja mit einem Anblick kan ich ihn von der Erden heben. Solte mich eine Jungfrau um etwas ansprechen / das ich ihr versagen könte!

Selenissa. Er muß entweder todt seyn / oder ich muß bey ihm nicht leben / und solte ich gleich des andern Tages den Kopff lassen! lieber einmal muthig und hurtig gestorben / als sein Lebenlang in Jammer und Elend gestecket.

Horrib. Veramente pensiero nobilissimo. Und warum Verzogen? Die Jungfrau glaube sicher / das Werck ist sonder alle Gefahr.

Selenissa. Wenn ihn nur niemand meldet.

3 *Vixephonigis:* für: Sempronius.
8 *u.d.g.:* und dergleichen.
12 f. *io ... inferno:* mit welchem ich Heere vernichte, Waffen zerschmettere und Schrecken über Himmel, Meer und Hölle verbreite. Andreini XXVI, 50[b].
22 *Veramente pensiero nobilissimo:* Ein wahrhaft edler Gedanke!
23 *Verzogen:* gezögert, aufgeschoben.
25 *meldet:* verrät, anzeigt.

Horribil. Was? mein gantzes Verlangen ist d'esser cognosciuto! Denn es ist vornemlich daran gelegen / daß man wisse / wer die That verrichte. Denn die gemeine Kundschafft von meiner Großmůthigkeit hebet alle Gefahr auff. So bald / als die tődlichen Wunden an den Leichen gesehen werden / schleust man / daß sie von keines andern Hand / als von der meinen herrůhren. So bald als sie vor die meinigen erkennet werden / ist kein Mensch / welcher klagen / kein Zeuge / der etwas ablegen / kein Notario, der etwas schreiben / kein Advocato, der den Process formiren, kein Stadt-Diener der angreiffen / kein Richter der examiniren, keine Obrigkeit die urtheilen / kein Scharffrichter der exeqviren dőrffte.

Harpax. Es ist nicht anders / als wie mein Herr erzehlet. [78] Jch weiß mich noch wohl zuerinnern / daß er / nach dem er einen niedergestossen / sich aus einem sondern capricio selber bey dem Richter fůr den Thåter angegeben habe. Der Richter aber / damit er nicht in Gefahr geriethe / gab fůr / als wenn er dem Capiten keinen Glauben zustellete / damit er seiner nur mit Ehren loß werden konte.

Selenissa. Es ist unglaublich.

Harpax. Noch ein andermal gab er sich fůr einen Bandito aus / und ließ sich zu dem Galgen fůhren. Es war zu Venedig auff Sanct Marcus Platz. Als er nun die Leiter mit dem Hencker hinauff gestiegen / rieß er die Stricke entzwey / sprang ůber das Volck in ein Schiff / und ließ den Hencker selbst angeknůpfft.

Horribil. Cane cativo! furfante senza ingegno! Must du derogleichen Stůcke von mir erzehlen / als wenn es sonst an Heldenthaten mangelte / die ich verrichtet habe. Nun

1 f. *d'esser cognosciuto:* erkannt zu werden, berühmt zu sein. Vgl. Andreini XXXIII, 65[a].
11 *angreiffen:* verhaften.
12 *examiniren:* verhören.
13 *exeqviren:* hinrichten.
16 f. *einem sondern capricio:* einer extravaganten Laune.
28 *Cane . . . ingegno:* Miserabler Hund! Idiotischer Schurke!

zu der Sachen! signora mia belissima, sie entschliesse sich / auff welche Art sie ihn will hinrichten lassen. Will sie / daß ich ihn mit dem Arm nel'aria in die Lufft schmeisse / daß er sich in dem Elementarischen Feuer anzůnde? will sie / daß ich ihn mit einem zornigen Anblick in einen Felsen verwandele? will sie / daß er von dem Schnauben meiner Nasen / als Schnee zurschmeltzen můsse? will sie / daß ich ihn per le treccie auffhebe und zu Boden werffe / daß er in die Sechs und dreissig mahl hundert tausend Stůcke zerspringe / wie Glaß?

S e l e n i s s a. O ich komme von mir selber ůber diesem Erzehlen! Der Herr Capiten mache es auffs kůrtzte / und schiesse ihm ein Pistol durch den Kopff!

H o r r i b i l. Die Jungfrau verzeihe mir / ich gebrauche mich keiner vortheilhafften und berenhåuterischen Waffen de latri & assassini, wenn ich etwas ver-[79]richten will. Will sie / daß ich ihm einen Nasenstůber gebe / daß ihm Stirne / Gehirne / Augen / Nase / Maul / Wangen / so untereinander gemenget werden / daß er sich sein Lebenlang nicht mehr kenne?

S e l e n i s s a. Jch stelle alles in des Herren Capitens Belieben / wenn ich nur seiner loß werde.

H o r r i b. Or su! finiamo la qvi, es soll schon gehen / wie es gut ist.

S e l e n i s s a. Jch stelle mich und meine Ehre in seine Hånde. Der Herr Capitain bleibe gesegnet.

1 *signora mia belissima:* schönste Dame!
3 *nel'aria:* in die Luft. Andreini XXX, 59[b].
4 *Elementarischen Feuer:* Nach dem Ptolemäischen System war die Erde von Wasser-, Luft- und Feuersphären umgeben, vgl. Hartmann Schedel, *Nürnberger Weltchronik* (1493), Bl. [V[b]].
8 *per le treccie:* bei den Haaren. Vgl. Andreini XXX, 59[b].
15 f. *de latri* (für ital. ladri) & *assassini:* von Räubern und Mördern.
23 *Or . . . qvi:* Also schließen wir damit.

Sempronius.

Nox erat & coelo fulgebat luna sereno, inter minora sidera. Horatius. Speluncam Dido, Dux & Trojanus eandem devenient, Virgilius Lib. 2. Aeneidos. Κωμάσδω ποτὶ τὰν 'Αμαρύλλιδα. Theocritus. Das heist / Herr Sempronius wird zu Jungfrau Coelestina gehen. Qvas volvit fortuna vices? Statius lib. 10. Thebaidos. Wer håtte dis heute morgen geglaubt? Aber es heist: kein verzagtes Hertz krieget eine schône Dam. Non per dormire poteris ad alta venire! Sed per studere poteris ad alta sedere. Nun / das gehet drauff hin! Casta fave Lucina! Sparge marite nuces, hilaris, tibi ducitur uxor! Virgilius in Eclogis.

Bonosus.

Die resolution ist gefasset. Herr Palladius ist fest mit Coelestinen, und ich / durch Zuthuen des Stadthalters mit Eudoxia. Man erwartet meiner / wie ich vernehme / bey dem Herren Cleander. Derowegen ist es Zeit / daß ich mich nicht [80] långer auffhalte / sondern mit ehesten dahin verfůge.

2 *Nox ... sidera:* Nacht war's, und am klaren Himmel erglänzte der Mond inmitten der kleineren Sterne. Horaz, *Epode* XV, 1.

3 f. *Speluncam ... devenient:* Dido und der Trojaner Führer werden in die gleiche Höhle geraten. Vergil, *Aeneis* IV (nicht II), 124 f.

4 f. Κωμάσδω...: Ich begebe mich zu Amarillis. Theokrit, *Idylle* III, 1.

6 f. *Qvas ... vices:* Welche Wandlungen bringt das Glück! Statius, *Thebais* XI (nicht X), 40.

9 f. *Non ... sedere:* Nicht durch Schlaf, sondern allein durch Mühe kannst du zur Höhe gelangen.

11 f. *Casta ... uxor:* Keusche Mondgöttin, sei günstig! Spende Küsse, froher Gatte, denn die Gattin wird dir zugeführt! Vergil, *Ekloge* VIII, 29.

Daradiridatumtarides. Horribilicribrifax.

Horrib. Und wenn du mir biß in den Himmel entwichest / und schon auff dem Lincken Fuß des grossen Beeren sessest / so wolte ich dich doch mit dem rechten Spornleder erwischen / und mit zweyen Fingern in den Berg Aetna werffen.

Daradir. Gardez-vous Follastreau! meinest du / daß ich vor dir gewichen? und wenn du des grossen Carols Bruder / der grosse Roland selbst / und mehr Thaten verrichtet håttest / als Scanderbeck / ja in die Haut von Tamerlanes gekrochen werest / soltest du mir doch keine Furcht einjagen.

Horrib. Jch? ich will dir keine Furcht einjagen / sondern dich in zwey und siebentzigmal hundert tausend Stůcke zersplittern / daß du in einer See von deinem eignen Blut ersticken sollest. Io ho vinto l'inferno e tutti i Diavoli.

Daradir. Jch will mehr Stůcker von dir hauen / als Sternen ietzund an dem Himmel stehen / und will dich also tractiren daß das Blut von dir flůssen soll / biß die oberste Spitze des Kirchturmes darinnen versuncken.

Horrib. Per non lasciar piu oltre passar qvesta superba arroganza, will ich die gantze Belågerung von Troja mit dir spielen.

Daradir. Und ich die Zerstőrung von Constantinopel.

Horrib. Io spiro morte e furore, doch lasse ich dir noch

7 *Gardez-vous Follastreau:* Nimm dich in acht, Mutwilliger!
8 *Carols:* Karls des Großen.
10 *Scanderbeck:* Iskender-Bei oder Skanderbeg, albanischer Nationalheld (1405–68).
11 *Tamerlanes:* Tamerlan, abendländischer Name für Timur-i-Läng (Timur der Lahme), asiatischer Eroberer (1336–1405).
16 *Io ... Diavoli:* Ich habe die Hölle und sämtliche Teufel überwunden. Andreini XLII, 83[b].
21 f. *Per ... arroganza:* Um diese überhebliche Arroganz nicht noch weiter ausschreiten zu lassen.
25 *Io ... furore:* Ich schnaube Tod und Wut.

so viel Zeit / befiehle deine Seele GOtt / und bete ein Vater unser!

D a r a d. Sprich einen Englischen Gruß und hiermit stirb.

H o r r i b. Du wirst zum wenigsten die reputation in deinem [81] Tode haben / daß du von dessen unůberwindlichen Faust gestorben / der den Kŏnig in Schweden niedergeschossen.

D a r a d i r. Trŏste dich mit dem / daß du durch dessen Hand hingerichtet wirst / der dem Tylli und Pappenheim den Rest gegeben.

H o r r i b. So hab ich mein Schwerd außgezogen in der Schlacht vor Lůtzen.

D a r a d. Morbleu, me voyla en colere! mort de ma vie! je suis fasché par ma foy. So hab ich zur Wehre gegriffen in dem Treffen vor Nerglingen.

H o r r i b. Eine solche positur machte ich in der letzten Niederlage vor Leipzig.

D a r a d. So lieff ich in dem Waal-Graben / als man Glogau hat einbekommen.

H o r r i b. Ha! ha! Jst er nicht qvesto capitaino, mit dem ich Kugeln wechselte bey der Gula?

D a r a d. O! ist er nicht der jenige Signeur mit dem ich Brůderschafft machte zu Schlichtigheim?

H o r r i b. Ha mon Signeur, mon Frere!

3 *Englischen Gruß:* Ave Maria.
6 *Kŏnig in Schweden:* Gustav II. Adolf, gefallen am 6./16. November 1632 in der Schlacht bei Lützen.
9 *Tylli:* Johann Tserclaes, Graf von Tilly, kaiserlicher Feldmarschall, gefallen 1632 bei Rain am Lech.
13 f. *Morbleu ... foy:* Donnerwetter, jetzt werde ich wütend. Bei meiner Seele, jetzt bin ich aufgebracht!
15 *Nerglingen:* Wortspiel für Nördlingen. Schlacht bei N. am 4. Mai 1642.
18 *Waal-Graben:* Graben der Stadtbefestigung.
Glogau: im Mai 1642 von schwedischen Truppen eingenommen.
20 *qvesto capitaino* (aus frz. und ital.): der gleiche Hauptmann.
21 *Gula:* Guhlau in Schlesien, im Juni 1642 von Torstenson erobert.
23 *Schlichtigheim:* Schlichtingsheim bei Glogau.
24 *Ha ... Frere:* Ah, mein Herr und Bruder!

D a r a d. Ha Fradello mio illustrissimo!

H o r r i b. Behůte GOtt / welch ein Unglůck håtte bald geschehen sollen!

D a r a d. Welch ein Blutvergiessen! massacre & strage, wenn wir einander nicht erkennet håtten!

H o r r i b. Magnifici & Cortesi Heroi kŏnnen leicht unwissend zusammen gerathen.

D a r a d. Les beaux Esprits lernen einander durch dergleichen rencontre erkennen.

Dionysius. Daradiridatumtarides.
Horribilicribrifax.

D i o n y s i u s. Welche Berenhåuter rasen hier fůr unsern [82] Thůren? wisset ihr Holuncken nicht / daß man des Herren Stadthalters Pallast anders zu respectiren pfleget. Trollet euch von hier / oder ich lege euch beyden einen frischen Průgel um die Ohren.

H o r r i b. Io rimango petrificato dalla meraviglia. Sol Capitain Horribilicribrifax dis leiden?

D a r a d i r. Sol Capitain von Donnerkeil sich also despectiren lassen?

H o r r i b. Io mi levo il pugnale dal lato, der Herr Bruder leide es nicht!

D a r a d. Me Voila, der Herr Bruder greiffe zu der Wehre / ich folge.

H o r r i b. Comminciate di gratia. Jch lasse dem Herren Bruder die Ehre des ersten Angriffs.

1 *Ha . . . illustrissimo*: Ah, mein vielgerühmter Bruder.
4 *massacre & strage:* Metzelei und Blutbad.
6 *Magnifici . . . Heroi:* berühmte und edle Helden.
8 *Les beaux Esprits:* schöne Geister.
9 *rencontre:* Zusammentreffen.
17 *Io . . . meraviglia:* Ich stehe versteinert vor Staunen.
21 *Io . . . lato:* Ich reiße den Dolch von meiner Seite.
23 *Me Voila:* Hier stehe ich.
25 *Comminciate di gratia:* Ich bitte Euch zu beginnen.

D a r a d. Mein Herr Bruder / ich verdiene die Ehre nicht / er gehe voran. Cest trop discourir: Commensez.

H o r r i b. Ey der Herr Bruder fahre fort / er lasse sich nicht auffhalten. la necessita vuole.

D i o n y s. Heran / ihr Ertzberenhåuter / ich will euch die Haut sonder Seiffen und Balsam einschmieren.

H o r r i b. Ha! Patrone mio qvesta supercheria è molta ingiusta.

D a r a d. O monsieur bey dem Element / er sihet mich vor einen Unrechten an.

H o r r i b. Ey signore mio gratioso, ich bin signor Horribilicribrifax.

D i o n y s i u s *(nimt beyden die Degen und schlågt sie darmit um die Kǒpffe).* Auffschneider / Lůgner / Berenhåuter / Bengel / Baurenschinder / Ertznarren / Cujonen.

D a r a d. Ey ey monsieur, basta qvesto pour istesso, es ist genung / der Kopff blutet mir.

[83] H o r r i b. Ey Ey Signor, Jch wuste nicht / daß der Stadthalter hier wohnete.

D i o n y s. Packet euch / oder ich will euch also zurichten / daß man euch mit Mistwagen soll von dem Platze fůhren.

Sempronius. Cyrilla.

S e m p r o n. Οἴμοι παρανοίας ὡς ἐμαινόμην ἄρα. Porro Qvirites! Deum atqve hominum fidem egonè ita sum deceptus.

2 *Cest . . . Commensez:* Zu viel Geschwätz: fangt schon an!
4 *la necessita vuole:* Die Not verlangt es.
7 f. *Ha . . . ingiusta:* O mein Herr, diese Überrumpelung ist äußerst unfair.
11 *signore mio gratioso:* mein bester Herr.
16 *monsieur . . . istesso:* mein Herr, laßt es genug sein!
23–25 Οἴμοι . . . *deceptus:* Weh mir, ich bin verrückt vor Torheit. Und ferner, ihr Leute, bei der Götter und Menschen Treue, so hat man mich hintergangen.

C y r i l l a. Ja es heist nu Zepffe / es heist / hast du mich / so behalte mich.
S e m p r. Impura meretrix.
C y r i l l. Ja die Hure ist fix, wer hat mich darzu gemacht / als ihr? Jhr můst mich nun wieder redlich machen / oder der Hencker soll euch holen!
S e m p r. 'Ατταπατατά.
C y r i l l a. Ey da! da!
S e m p r o n. Me miserum!
C y r i l l a. Sehre hin sehre her.
S e m p r. Was rath nun! Qvid facio!
C y r i l l a. Ein Patzen do. Nein / ich lasse mich so nicht abweisen.
S e m p r o n. Est aliàs dives vetula.
C y r i l l a. Heist ihr mich die beste Fettel?
S e m p r. O du Hure!
C y r i l l a. O du Schelm!
S e m p r. O du Kuppelhure! lena faeda!
C y r i l l a. Wie Magdalenen? Du Ehbrecher!
S e m p r o n. Du Mågdehåndlerin!
C y r i l l a. Du Susannen Bube!
S e m p r o n. Du Teuffelsfettel!
C y r i l l a. Du Teuffelsbanner!
S e m p r. Du Pileweissin!
[84] C y r i l l. Du Hexenmeister!
S e m p r. Du Pulver Hure!
C y r i l l. Du Bley Schelme!
S e m p r o n. Du Excetra!

3 *Impura meretrix:* Dreckhure!
7 'Ατταπατατά: Papperlapapp!
9 *Me miserum:* Ich Ärmster!
11 *Qvid facio:* Was mache ich nun?
14 *Est . . . vetula:* Übrigens ist die alte Vettel reich.
18 *lena faeda:* ekelhafte Verführerin!
24 *Pileweissin:* Hexe.
28 *Excetra:* Giftschlange, Viper. Bei Pannier zu Etcetera, bei Powell zu Excreta emendiert.

Cyrilla. Ja Zeter ůber dich!
Sempr. Du Furia!
Cyrilla. Du Hurenjåger!
Sempr. Du Erinnys.
Cyrilla. Ja darinn ists.
Sempr. Jch wil dir die Haare aussreissen.
Cyrilla. Jch wil dir den Bart außrauffen.
Sempron. Jch wil dir die Nase abbeissen.
Cyrilla. Jch wil dir die Augen außkratzen / und in die Lőcher scheissen.
Sempron. Jch wil dir den Ars an deine Zunge wischen.
Cyrilla. Jch wil dein Maul unter ein Scheißhaus nageln.
Sempr. Der Hencker soll dir den Rűcken mit Ruten abputzen.
Cyrill. Der Hencker soll dir die Spinnweben mit Besen abkehren / und den Bart mit dem breiten Messer scheren.

Sie fallen ůber einander und schlagen einander zum guten Tiegen ab.

Sempr. O mein Bart!
Cyrilla. O mein Haar.
Sempr. O mein Auge.
Cyrilla. O mein einig Zahn! vertragen wir uns lieber in der Gůte mit einander!
Sempron. Je meinethalben! was haben wir auch sonsten vor?
Cyrilla. Jch kan trefflich gebrand Wasser machen / und Zåhn-Pulver verkauffen / und habe ein schőn Stűcklein Heller vor mich bracht.
[85] Sempron. Wolan / unsre Gůter mőgen gemein seyn! ihr můst mich aber hůbsch halten / weil ich ein Gelehrter bin.
Cyrilla. Jch will euch alle Morgen eine warme Suppen kochen.

16 *mit dem breiten Messer scheren:* mit dem Henkersbeil abhauen.
17 f. *zum guten Tiegen:* weidlich, tüchtig.

S e m p r. Hettet ihr das also bald gesaget / so hette es so vieler Weitlåufftigkeiten nicht bedůrffet.
C y r i l l a. So gebet mir denn eure Hand drauff!
S e m p r o n i u s. So sind wir vertragen. Sic erat in fatis!
C y r i l l a. Ja in der Stadt ists. Kommet mit mir in mein Haus / ich will einen Notarigus holen lassen / der unsern Eh-contract auffsetzet / und uns / vor die Gebůhr / ein in nominus macht.

Cleander. Bonosus. Eudoxia.
Palladius. Coelestina. Flaccilla. Sophia.

C l e a n d e r. Jch bitte / sie treten etwas hinter die Tapete / und hören unseren Reden mit Gedult zu! Dionysi ruffe die Jungfrau mit der Mutter herein.
S o p h i a. Wenn ich auffs wenigste die Freyheit zusterben erhalten kan / schåtze ich mich glůckselig / daß / in dem ich die Angst meines Lebens beschliesse / auch der Ehren die unbefleckte Seiden meiner Keuschheit mit der Purpur dieses Blutes zufårben / und / dadurch meine Auffrichtigkeit zu bezeugen / fåhig worden.
C l e a n d e r. Jst dieses eure Tochter / meine Frau / welcher Schöne und Keuschheit ihr so sehr gerůhmet?
[86] S o p h i a *(Fållet vor ihm auff die Knie):* Die unglůckselige Schönheit / gnådiger Herr / ist diß eintzige / was mir / doch zu meinem Unglůck / die Natur verliehen. Wenn sie mich und die Reinigkeit meines Gemůthes in Gefahr setzen soll / wůndsche ich eher die weissen Brůste mit meinem eignen Blute zuerröten / als ein durch Unehr beflecktes Gesicht / vor Euer Genaden auffzuheben. Jch bitte in diesen Schrancken in welchen mich Elend / Ar-

4 *Sic erat in fatis:* Das Schicksal hat es so gewollt.
7 f. *in nominus:* Heiratskontrakte begannen stets mit »in nomine Dei«; vgl. jedoch S. 114.
11 *Tapete:* Wandteppich, Gobelin.
29 *Schrancken:* beschränkte Verhältnisse, Enge, Not.

muth und Gewalt dringet und herum treibet / Eure Genaden wolle mir dieses eintzige erhalten und beschützen helffen / was mir noch die euserste und recht Eiserne Noth nicht abzwingen können / oder mitleidend gedulden / daß ich vor seinen Füssen dem geängsteten Geiste den Weg durch diese Brüste öffne!

Cleander. Meinet ihr / daß wir euren verstelleten Thränen und falschen Geberden so viel Glauben geben? Wir kennen der Weibes Personen Art und wissen / wie heilig sie sich stellen / wenn sie ihre Wahre hoch außbringen wollen.

Sophia. Himmel / ende nun meine armselige Tage! bin ich noch länger auff dieser Welt zu leben begierig / wenn ich Namen und Ehre verlohren?

Cleand. Namen und Ehre sind eine Hand voll Wind / und werden nicht gerühmet / als nur Scheines halber.

Sophia. O GOTT! ist es nicht genung / daß ich bey allen in Argwohn gerathen bin; durch diese gewaltsame Hinwegführung? Muß noch meine Unschuld von dem in Zweiffel gezogen werden / welcher von allen für den kräfftigsten Beschützer elender und verlassener Waisen ge-[87]halten wird? Gute Nacht Himmel! sey zum letzten mahl gegrüsset Erde! Was verziehe ich weiter?

Sie holet aus mit einem blossen Messer. Cleander fället ihr in die Armen: die andern kommen alle herzu gelauffen.

Cleander. Genung meine wertheste! Jhre Keuschheit hat wie ein lauteres Gold durch eine so hefftige Anfechtung bewehret werden müssen. Sie ist in diesen Hoff nicht durch Verlust der Ehren gedrungen / sondern durch ihre Tugend eingeführet / damit dieselbe nach so langem Verdienst prächtiger gekrönet würde. Diese Haarlocken sind es / welche uns gefangen: Doch die Keuschheit Sophiae hat diese Bande fester zusammen gezogen / welche eine heilige Ehe zwischen Mir und Jhr unaufflößlich verknüpffen soll. Dionysi, Thersander, Pompei, Ptolomaee, bringet Kleider /

23 *verziehe:* warte, zögere.

Perlen und Demante / um meine Schöneste also außzukleiden / wie ihre Tugend und unser Stand erfordert / ob sie wohl mehr gezieret wird durch diese abgeschnittene Haare / als durch alles Reichthum dieser Welt.

Coelestina. Werthe Jungfrau Sophia. Jch wündsche zu dieser unverhofften Ehe und Ehre Jhr so viel Glücks / als dero keusche Tugend verdienet / und schätze mich glückselig / in dem ich heute Jhre Kundschafft erhalte / von Jhr / als dem vollkommenen Spiegel aller Zucht / zu lernen / was uns allen anstehet.

[88] *Sophia. Wird von den Jungfrauen auffs prächtigste gekleidet. Jndessen wünschen die andern einander allerseits Glücke.*

Cleander. Dionysius, welcher diesem unsern Vorsatz bey sich die Hand geboten / soll nicht sonder Lohn dieser Freude beywohnen / wenn Jungfrau Coelestina ihre Camillam ihm vermählen will / werden wir Mittel finden / sie beyde bester massen zu befördern; Und damit Horribilicribrifax und Daradiridatumtarides nicht alleine bey der allgemeinen Freude sich mit Schlägen / wie uns erzehlet / behelffen dürffen / wollen wir dem Daradiridatumtaride, doch mehr aus Mittleiden gegen die unglückselige Selenissam, das Commendo über die gvarnison in dem nechsten Flecken / dem Horribilicribrifax aber eine Corporalschafft Tragoner in der Vorstadt vertrauen. Lasset die Personen alle auff den Hoff fordern / und unterdessen die Heerpaucken und Trompeten erschallen!

Die Personen gehen alle ab / biß auff Florentin.

Florentin. Hochzeiten über Hochzeiten! was werde ich Marcepan bekommen! Laß schauen / ich muß zehlen / wie viel es Heyrathen setze! Jch und Rosina, das ist die Erste; mein Herr und Coelestina, das ist die Ander; Camilla und Dionysius, das ist die Dritte. Bonosus und Eu-

8 *Kundschafft erhalte:* Bekanntschaft mache.
28 *Florentin:* Bis zu dieser Stelle heißt er, außer einmal S. 86,17, stets Florian(us).

doxia, das ist die Vierdte; der ungeheure Capitain mit dem Namen von sieben Meilen / und Selenissa, werden die fünffte halten; Ja wol / es mangelt mir noch eine / ey ja! ja! der Stadthalter mit der [89] fremden Jungfrau / das ist die Sechste. Wenn doch sieben wehren / so hätten wir eine gantze Woche voll Hochzeit! wolan! Capitain Horribilicribrifax mag unsre grosse / dicke / derbe / alte / vierschrötige / ungehobelte / trieffäugichte / spitznäsichte / schlüsseltragende Schleusserin nehmen / so ist die Reihe vollkommen. Jhr Herren / Jungfrauen und Frauen / wo euch Sophiae großmüthige Keuschheit / und Coelestinen beständige Anmuth / zuforderst aber Florentini (und der bin ich) hoher Verstand gefallen so kommet alle mit auff die Hochzeit / jener grosse weitmäulichte Baur der dort hinten stehet / mag wol zu Hause bleiben / Er möchte uns den Wein gar aussauffen / und alles auff fressen / daß die Braut selbst hungerig zu Bette gehen müste.

Der Auffzug wird beschlossen unter Trompeten und Heerpaucken mit einem Tantz / in welchem alle Personen / wie auch Sempronius mit seiner Cyrilla erscheinen.

[90] Heyraths-Contract.

Herren Sempronii und Frauen Cyrille.
In Nomine Deorum Nuptialium & Fescenninorum.

KUnd und zu wissen sey hiemit iedweden / dem daran gelegen / daß vor mir Romano Pompilio, ******************
Notario, wie auch denen darzu erbetenen Zeugen / des hochtieffgelehrten Herren Peter Sqventzen, wohlbestellten Schul-

9 *Schleusserin:* Beschließerin, Haushälterin.
23 *In Nomine . . .:* Vgl. S. 111, doch werden hier statt des christlichen Gottes die heidnischen Fruchtbarkeitsgötter angerufen.
Fescenninorum: nach der Stadt Fescennium in Südetrurien. Daher ›Feszennische Verse‹ für derbe Hochzeitspoesie.

meisters zur Rumpels-Kirchen / und Expectanten des Pfarr-Amts daselbst / auch des weitvorsichtigen und scharffschleiffenden Herren Poppii, Narrenfressers / breitberůhmten Glaßschleiffers und Brůllenmachers; Des durchsichtigen Herren Cuntzen von Tadelmuth / Birnen Beckers und groß Pflaumen Håndlers; des Hochgedencklichen Herren Rodomont, von und auff Fensterloch / Erbrichtern zu Mist-statt; heute den 30. Februarii, dieses tausend sechshundert acht und viertzigsten Jahres / wesentlich er-[91]schienen / der Weltberůhmte und ůberall beschriene Herr Sempronius von Wetterleuchten / und Semperheim / Oberster Inspector der Calfacterey zu Hinderlocheshausen / Mitregent des Collegii zu Bitterlingen / Verwalter des Zoll-Amts zu Blitzloch / und designireter Vice Stadt-Schreiber des Ko̊niglichen Fleckens Schitstroh / nebest der Wohl Erbahren / wolgeachteten und Gestrengen Frauen Cyrilla, Sidonia, Procopia, Sergii Schlirenschlaffes von Ko̊rbentragen hinterlassener Wittib / welche sich beyderseits fůr mir obengemeldeten in meinem Gemach / welches lieget in dem hinter Hause / gegen dem Garten / welche an die Fortzeymer Gassen ansto̊sset / wo man gegen der lincken Seiten zu der rechten Hand hinein gehet / angegeben / daß sie ********* sich in ein festes Eheverbůndnůß mit einander eingelassen / mit allen denen solenniteten, ceremonien und Gebråuchen / welche in dergleichen Fållen de jure oder consvetudine ůblich / auch einer Morgengabe von siebentausend Doppel-Ducaten / welche Herren Sempronio baar außgezahlet werden sollen / wann sie verhanden / und die ihm in seinen Nutzen anzuwenden / hiermit ůbergeben / mit außdrůcklicher Bedingung / daß wo [92] Herr Sempronius vor Frauen Cyrilla sonder Leibes-Erben Todes erbleichen solte / welches doch nicht geschehen wolle / gedachte

11 f. *Calfacterey:* Heizung.
23 *solenniteten:* Festlichkeiten.
24 f. *de jure oder consvetudine:* gesetzlich oder gebräuchlich.
25 *Morgengabe:* In komischer Verkehrung normaler Bräuche zahlt hier die Gattin dem Gatten eine Morgengabe.

Frau Cyrilla vierzehntausend zuvorgedachter Sorte doppel-Ducaten eines Schlages / zuvor aus seiner Verlassenschafft bekomme / das ůbrige Vermǒgen aber soll an Herren Sempronii hinterlassene Blutsverwandten devolviret werden. Doch also / daß Frau Cyrilla wiederum mit denselben zu gleichem Theile gehe. Dafern aber aus solcher Ehe Kinder erfolgen / welche beyderseits wůndschen / wird sich Frau Cyrilla mit ihrem gebůhrenden legitimo vergnůgen lassen / welcher hergegen statt Leibgedinges Herr Sempronius ein Fuhrwerck an der OstSeiten der Neustadt / zwischen Marcus Plundken Fidelbogen-Macher / und Jhr gestrengter Herren / Herren Narrenkopff von Fliegenheim Gůtern gelegen / hiermit krǎfftiglich verschreibet / nebest Jǎhrlichen Renten von Zwǒlfftausend Reißthalern / welche bey einer Erbahren Zunfft der Lǒffel- und Flechten-Macher stehen / wie denn auch sechs Packentrǒgen von fichtenem Holtze / unter welchen einer etwas abgenůtzet. Allen seinen Kleidern / wie er die in fremden Landen und zu Hause / auff Fest- und Werckelta-[93]gen / zu Ehren / und sonsten getragen / nebest seinem alten Schlepchen von Corduan / einen Paar neuen / und einen Paar alten Pantoffeln und einem Badehůtlin von Stroh mit Muscaten gezieret; und noch ůber diß eine blecherne Laterne mit etwas verbrandten Horne / eine Brille / zwey Brillen Futter / einen Nachtstul mit einer zubrochenen Scherben / und den besten aus seinen hǒltzernen Hǎngeleuchtern / mit noch sechs Schock Schwefel-Liechtern / und einem ledigen Feuerzeug. Doch also / und mit nachfolgenden conditionen: Daß erstlich Frau Cyrilla Herren Sempronio ihrem erkohrnen Eheschatz / jedweden Abend mit

4 *devolviret:* verteilt.
8 *legitimo:* dem ihr gesetzlich zustehenden Erbteil.
10 *Fuhrwerck:* gemeint ist Vorwerk.
16 *Packentrǒgen:* Backtrögen.
23 *Horne:* Vielfach hatten die Laternen Hornscheiben, die weniger zerbrechlich waren.
24 f. *einer zubrochenen Scherben:* einem zerbrochenen Topf.

einem Bette-Wermer von Zien auffwarte / des Nachtes ihn fein trocken lege / ihm die abgefallenen Bette sonder Murren wiederlange / die Schlaff-Hauben wol auffsetze / des Morgens aber eine warme Suppen / oder nach Jahres Gelegenheit eingemachte confituren praesentire, die Haare und den Bart wol außkåmme / die Nasen wische / ein reines Schnuptuch an den Gůrtel henge / und vier Stůck Papier seiner Nothdurfft nach zugebrauchen / in die Hosen stecke; Weiter begehret auch Herr Sempronius, daß sie die Speisen fertig / sauber und warm auff [94] den Tisch bringe / den Wein nicht mit Wasser verfålsche / kein Kůhefleisch fůr Ochsenfleisch aufftrage / und seine zwey Tischgånger und Mittesser / Perlichen von Braband das weisse Hůndlein / und Mirmex Mauer von Můntzen Schloß / seinen schwartzen Kater / freundlich halte; den Vogeln / so in seiner Studierstuben / alle Morgen frisch Wasser einschencken lasse; und sich im ůbrigen aller Koplerey / Briefftrågerey / Salbenkråmerey / als die ihrem Stande nun nicht mehr anstendig / gåntzlich enthalten / und als einer fůrnehmen Mannes Frauen gebůhret / verhalten solte. Jm wiedrigen Falle solle das Frauen Cyrillae vermachte Gut / de facto verfallen / und der wohl Erbahren Zunfft der Brieff-Mahler / und Qvem Pastores Schreiber zugewendet werden. Hergegen wird sich Herr Sempronius dahin befleissen / daß er fein deutlich und Deutsch ihr seine Meynung entdecke / und aller frembden Wörter sich enthalte / biß sie Frau Cyrilla zuvor gründlich von ihm in dem Demosthenes und M. T. Cicero unterwiesen. Solte sie Frau Cyrilla aber ingleichen / wie wir alle sterblich / fůr ihm ohne Eh-Segen dahin gehen / wird Herr Sempronius, seinem hohen Verstande nach / schon wis-[95]sen

1 *Zien:* Zinn.
17 *Koplerey:* Kuppelei.
22 *Brieff-Mahler:* Briefillustratoren.
22 f. *Qvem Pastores Schreiber:* Weihnachtskartenhersteller, nach dem hierfür oft verwendeten Weihnachtslied.
29 *fůr:* vor.

mit allen zuhandeln / und der Sachen abzuhelffen. Diesen ihren Heyraths-Contract habe ich unten geschriebener ***** ******* nach empfangener Gewalt extendendi publicum Instrumentum vel Instrumenta, ad consilium sapientis, & in omni meliore modo &c. post renunciationem &c. privilegiorum omnium, qvae faciunt ad favorem dominarum &c. auffgesetzet / und mit meiner Hand und auffgedrucktem Notariat Signet bekraͤfftiget. Actum wie suprà.

I.

Herr Sempronius von Wetterleuchten / dessen Wappen ein gevierdter Schild / in dessen erstem Felde eine Fama mit Trompeten / in dem andern ein Leuchter auff drey Dintenfaͤssern stehen / in dem dritten zwey Fecht-Degen Creutzweisig uͤbereinander / durch welche ein Morgenstern / der gar zubrochen / wie ihn die Clauditchen zu Leipzig fuͤhren; Jn dem vierdten / ein Wagen mit 6. Rossen und auff demselben Herr Sempronius selbst / und in der perspective seiner Vorwercke / zu oberst ist ein offener Helm / auff demselben [96] drey Hahnschwaͤntze / und zwischen denen die drey Koͤpffe des hoͤllischen Cerberi, welche Feuer speien.

2–7 *Heyraths-Contract . . . auffgesetzet:* Diesen ihren Heiratskontrakt habe ich, der Unterzeichnete ***, gemäß mir übertragener Vollmacht zur Ausstellung derartiger Dokumente, nach Konsultation der Rechtsgelehrten unter Berücksichtigung der vorteilhaftesten Möglichkeiten etc. nach Verzichtleistung etc. auf alle den Ehefrauen normalerweise zustehenden Privilegien aufgesetzt.

8 *Actum wie suprà:* Geschehen wie oben.

10 *Herr Sempronius:* Gryphius verspottet im folgenden die Sucht der bürgerlichen Klassen, die Wappen des Adels nachzuäffen.

15 *Morgenstern:* Seit dem späten Mittelalter gebräuchliche Schlagwaffe der Nachtwächter (noch bis ins 17. Jh.).

16 *Clauditchen:* Nachtwächter (Jacob Grimm, *Deutsches Wörterbuch*, Bd. 2, Leipzig 1860, Sp. 628).

21 *Cerberi:* des dreiköpfigen Höllenhunds Zerberus.

II.

Frau Cyrillae Sidoniae Procopiae, erbetener Curator, Herr Fortius von Seiffkesselmacherheim / in dessen Wappen ein Doppelter Schild / und zwar in dem rechten eine Salbenbůchse auff drey Todten Kőpffen / darauff eine Fledermauß / zur lincken aber ein altes Weib auff einem Bocke / zu oberst ein offener Helm / auff demselben ein Katzenkopff mit offenem Maule / aus dessen Munde eine Kinder Hand hanget.

III.

Peter Sqventz, dessen Signet ein gevierdter Schild / in dessen rechten Oberfelde ein Thurm mit einer Glocken / welche Herr Sqventz zeucht / in dem Lincken aber zwey Ruten Creutzweis ůbereinander / und in der mitten ein Cantorstecken; in dem untersten Felde zur rechten ist ein Schauplatz / auff welchem Pira-[97]mus und Thisbe, zu der Lincken aber ein Repositorium voll Bůcher.

IV.

Poppius Narrenfresser; sein Signet ist ein Affen-Kopff / in dessen auffgesperretem Schlund ein Schiff voll Narren fåhret.

11 *Peter Sqventz:* Obige Erwähnung der Komödie galt früher allgemein als Beweis für Gryphius' Autorschaft, doch wurde diese kürzlich erneut angezweifelt. Vgl. Peter Michelsen, Zur Frage der Verfasserschaft des Peter Squentz, in: *Euphorion* 63 (1969) S. 54–65. Auch die Anspielung auf »Piramus und Thisbe« bezieht sich auf dieses Lustspiel.

17 *Repositorium:* Bücherregal.

20 f. *Schiff voll Narren:* Anspielung auf Sebastian Brants *Narrenschiff*.

V.

Cuntz von Tadelmuth / sein Wappen ist ein Kopff / dessen Maul nach seiner Nasen beist. Auff dem mit Schlangen-Zungen gekrȏneten Helm liegen drey in einander gewundene Nattern. 5

VI.

Rodomont von Fensterloch. Dessen Schild fůnfffach. Jn dem mitlern Felde sind 3. Carthaunen; in dem rechten ein Spies voll gebratener Lerchen: in dem Lincken ein Lachskopff: unterst in dem rechten / zwey 10 ůbereinander geschrenckte Fahnen / durch welche eine Partisane gehet: in dem lincken ein Paar Heerpaucken mit aller Zugehȏr. Auff [98] dem einen Helm sitzet ein Affe / welcher mit einem Pistol nach einem auff dem andern Helm sitzenden Kater zielet / welcher sich stellet als wolte 15 er den Schuß mit einem blossen Sebel pariren.

VII.

Romanus Pompilius, dessen Signet ist ein Esel mit einer Schreibfeder in der einen / und einen Dintenfaß in der andern Klauen. 20

Turpe est, difficiles habere nugas.

7 *Rodomont:* Anspielung auf den Miles gloriosus aus Ariostos *Orlando furioso*, der mit seinem Spieß mehrere Feinde auf einen Streich durchbohrte.

21 *Turpe . . . nugas:* Schimpflich ist es, Narrenpossen ernst zu nehmen.

Zur Textgestalt

Der Text des vorliegenden Neudrucks beruht auf dem ohne Jahresangabe veröffentlichten Erstdruck (A):

ANDREAE GRYPHII | HORRIBILICRI | BRIFAX | Teutsch. | Breßlaw / | Bey Veit Jacob Treschern.

Dieser erschien erstmals als Anhang der gesammelten Werke von 1663, der Ausgabe letzter Hand:

ANDREAE GRYPHII | Freuden | und | Trauer-Spiele | auch | Oden | und | Sonnette. | Jn Breßlau zu finden | Bey | Veit Jacob Treschern / Buchhåndl. | Leipzig / | Gedruckt bey Johann Erich Hahn. | Jm Jahr 1663.

Da separat paginiert, ließ sich das Stück sowohl einzeln als auch als Teil des obigen Sammelbandes verkaufen. Benutzt wurde das Exemplar der Niedersächsischen Staats- und Universitätsbibliothek Göttingen, Signatur: Poet. Dram. III 850.

Gliederung des *Horribilicribrifax* im Erstdruck A:

[Aj^{r}]	Titelblatt (s. Faksimile S. 3)
[Aj^{v}]	vakat
Aij^{r} – [Av^{v}]	Daradiris Vorrede
[Avj^{r}] – [Avj^{v}]	Personenverzeichnis
1 – 89	Text des Scherzspiels
90 – 98	Heiratskontrakt

Ein Zweitdruck (B) erschien 1665 unter Angabe der Jahreszahl auf dem Titelblatt:

ANDREAE GRYPHII | HORRIBILICRIBRIFAX | Teutsch. | [Linie] | Breßlaw / | Bey Veit Jacob Treschern. | 1665.

Von geringfügigen Einzelheiten abgesehen, stimmt B mit A überein und wurde deshalb im vorliegenden Neudruck nur zur Berichtigung von Druckfehlern herangezogen. Benutzt

wurde das Exemplar der Staatsbibliothek Preußischer Kulturbesitz Berlin, Signatur: Yq. 4831.
Um etwa 1695 erschien noch ein dritter, auf A beruhender Druck (C) ohne Jahresangabe beim gleichen Breslauer Verleger. Seiner textlichen Unzuverlässigkeit halber brauchte dieser Druck hier jedoch nur in wenigen Ausnahmefällen berücksichtigt zu werden. Der 1698 erschienene Druck (D) im Band *Andreae Gryphii, um ein merckliches vermehrte Teutsche Gedichte*, verlegt bei den Fellgiebelischen Erben in Breslau und Leipzig, wurde nicht verwendet.
In der vorliegenden Ausgabe entschied sich der Verlag, einen ausführlicheren Anmerkungsapparat zu bieten als alle früheren Neudrucke, um damit den Zugang zu dem aus deutschen, italienischen, französischen, hebräischen, jiddischen, niederländischen, spanischen, lateinischen und griechischen Elementen zusammengesetzten Sprachengewirr im Unterrichtsgebrauch zu erleichtern. Die Worterklärungen wurden nach Konsultation sämtlicher früheren Editionen von Grund auf neu erstellt. Informativ waren u. a. die Ausgaben von Willi Flemming, Hermann Palm und Hugh Powell, die mancherorts berücksichtigt werden konnten. Für freundliche Überprüfung einiger Worterklärungen ist der Herausgeber seinen Freunden und Fachkollegen Zwi Batscha, Antonín Hruby, Ruth Jacobi, Paul Pascal und George Schulz-Behrend zu besonderem Dank verpflichtet. Frau Ingrid Quertermus gebührt spezielle Anerkennung für ihre Mitarbeit bei den Fahnenkorrekturen.
Bei der Berichtigung verderbter Textstellen und Korrektur von Errata gingen wir mit größtmöglicher Behutsamkeit vor, so daß manche von früheren Herausgebern als vermeintliche ›Druckfehler‹ eigenmächtig abgeänderten Stellen hier erstmalig wieder wie im Original erscheinen. So etwa das auf die alte Kupplerin gemünzte Schimpfwort *Excetra* (S. 109,28) des Sempronius, das zu *Etcetera* (Palm) bzw. *Excreta* (Powell) emendiert wurde. Die Orthographie von A wurde grundsätzlich beibehalten, und zwar sowohl für die deutschen

als auch die Mehrzahl der fremdsprachigen Ausdrücke. Auch hier konnten einige von früheren Editoren ›korrigierte‹ absichtliche Verballhornungen und Wortspielereien wie etwa *Nerglingen* (S. 106,15) für Nördlingen getreu nach dem Erstdruck A wiederhergestellt werden. Der Klarheit halber wurden einige Akzente in den Fremdsprachen berichtigt, doch wurde von Versuchen der Modernisierung bewußt Abstand genommen. Die griechische Orthographie folgt Powells Edition. Nachstehende Liste verzeichnet sämtliche vom Herausgeber in A vorgenommenen Änderungen. Soweit dieselben auf B oder C beruhen, sind sie jeweils entsprechend gekennzeichnet.

Vorrede des Daradiridatumtarides

6,7 wol-meritiritires > wol-meritiritirtes – 6,12 f. hoch-desiderabten > hoch-desiderablen – 9,6 tableltes > tablettes – 9,16 non > nur – 10,5 Goncept > Concept – 11,2 stehen > stehend (B) – 11,9 nachmit > nach mit (B) – 11,14 demererbet > dem ererbet (B).

Personenverzeichnis

13,12 Caelestina > Coelestina – 13,24 Caelestine > Coelestina – 14,2 Caelestinae > Coelestinae – 14,3 Caelestinae > Coelestinae.

Der Erste Auffzug

15,5 f. Cacciadiavolo. > Cacciadiavolo, – 16,2 Putainy > Putain, – 16,4 abzuwischen > abzuwischen! (B) – 16,4 De esse! > Deesse! – 16,7 Ungungst > Ungunst (B) – 16,16 f. Rodomantaden. > Rodomontaden. – 17,6 Vitrliputrli > Vitzliputzli – 18,17 weisest > weissest (B) – 18,22 wisseff > wissen (B) – 18,31 hoffen? > hoffen. – 19,13 zu bringen > zubringen (B) – 20,7 den > dem – 20,15 ihren > ihrem – 20,18 besser-an > besser an (B) – 22,2 GDtt > GOtt (B) – 25,24 verstehestn > verstehestu – 26,20 oder > oder ...

– 27,27 momenti. > momenti – 27,28 τᾶυτα > ταῦτα – 28,11 f. Importantz, > Importantz – 28,17 χεδόν > σχεδόν – 30,11 Viertzitz > Viertzig (B) – 30,15 ἔῤῥωσυ > ἔρρωσυ.

Die andere Abhandelung (nicht ›Auffzug‹ wie Akt 1, 3–5)

31,11 à > a – 31,22 fortè > forte – 33,12 rim ango > rimango – 33,28 vostrò > vostro – 34,11 Probststuͤck > Probstuͤck (B) – 34,23 huome > huomo (B) – 34,23 dio > di (B) – 34,23 bouna > buona – 35,19 zumachen > zu machen (B) – 35,21 Final mentè > Finalmente – 35,26 e > è – 36,4 cosi > Cosi (B) – 37,21 potere > potete (B) – 37,25 Odio > Adio (B) – 38,8 Coelest. Trit > Trit – 38,20 zuholen! > zu holen! (B) – 39,7 werden: > werden. – 39,20 zuwerden. > zu werden. – 39,28 Htrtz > Hertz (B) – 41,9 klopfft. > klopfft? (B) – 42,7 mann – man (B) – 43,32 Hole > hole (B) – 44,19 Pagen. > Pagen (B) – 44,33 nehmem > nehmen (B) – 45,2 alte > Alte (B) – 45,26 Hase > Hase; (B) – 49,13 Sempronius > Sempronius, (B) – 49,22 unsern > unserm – 52,22 Cyrilla, > Cyrilla. – 52,23 Recht > Nicht – 53,16 den > denen – 53,19 felicitè > felicité – 54,2 auzunehmen > anzunehmen (B) – 54,13 Viego > Diego – 54,13 l'mour > l'amour (B).

Der dritte Auffzug

56,10 meinen > des meinen (B) – 57,21 Feunden > Freunden (B) – 57,26 hoͤchstes > hoͤchstens – 58,20 Junger > Jungfer (B) – 59,3 hei ssenicht > heisse nicht (B) – 59,17 todt > todt! (B) – 60,24 das > des (B) – 60,32 eignem > eignen (B) – 61,30 satò > sarò – 62,3 Palmerin > Palmerin, – 62,3 Galmy > Galmy, – 62,17 koͤme / > kaͤme / – 64,7 e > è – 64,8 pugnatat'a vel > pugnalata nel – 64,14 chio > ch'io – 65,18 zerheile > zertheile (C) – 66,7 dimia > di mia – 67,3 le > lo – 67,15 f. Pappenheim, > Pappenheim. – 67,22 è > e – 68,15 nimmermermehr > nimmermehr (B) – 68,19 diro > dirò – 68,28 vielsagen > viel sagen (B) – 69,17 remittite > remittire (B) – 69,23 die > di (B) – 70,8 Appenniorum > Appenninorum – 70,15 zwey åugichten > zwey-åugichten (B) – 71,1 λάλιστα > μάλιστα – 71,10 O himeche > Ohimè che (B) – 71,23 ἔῤῥωσε > ἔρρωσο – 72,1 Rabbi ... *transponiert vor* 72,2 Der Jude ... – 72,5 nichts > nicht – 72,6 ethbonam > ethbonan – 72,9 jaden > jadeu – 72,13 gedauscht > gedascht – 73,21 heedith. > heediph. – 73,23 chachan > chacham – 74,5 achet > achat – 75,3 diess > dieses (B).

Der vierdte Auffzug

77,12 Diodor. > Diodor, – 78,34 Flaccila. > Flaccilla. – 81,9 vernonmmen. > vernommen. (B) – 82,4 Zeit > Zeit / (B) – 82,12 Daradiridatumdarite > Daradiridatumtaride (B) – 82,21 jammerte > jammert (B) – 85,14 den > dem (B) – 87,10 worden; > worden? (B) – 88,19 Daradiridatumdarides > Daradiridatumtarides – 88,24 f. perte-corps > porte-corps – 88,26 Juno; > Juno, (B) – 89,1 lassen; > lassen, – 89,14 Madame, > Madame – 89,15 iht > ihr (B) – 89,23 potrè > porté – 90,4 er lebet > erlebet (B) – 91,9 Junfrau > Jungfrau (B) – 92,9 Laß > Last (B) – 93,8 praesent. > praesent? (B) – 93,28 gebon. > geben. – 95,1 e > è.

Der fůnffte Auffzug

95,20 lasset > auff lasset (B) – 95,28 Abend. > Abend? – 96,6 sechse. > sechse? – 97,16 Daradiridatumdarides. > Daradiridatumtarides. – 97,20 Daradiridatumdarides. > Daradiridatumtarides. – 97,23 vraii, > vrai, – 98,2 marckbahres > Marck bahres – 100,1 schelten > schalten (C) – 100,20 Denckmahle / > Denckmahle – 101,6 f. Lebenlang / > Lebenlang – 101,10 zweifelt > zweifele – 101,11 f. welchen > welchem – 101,13 woltet. > wolte. – 102,2 cognoscinto! > cognosciuto! – 103,5 einem > einen – 103,15 Waffen. De > Waffen de – 103,18 Augen Nase / > Augen / Nase / – 104,2 Mox > Nox – 104,9 tormire > dormire – 105,1

Daradiridatumdarides > Daradiridatumtarides – 105,7 Garde vous > Gardez-vous – 105,21 lascias > lasciar – 105,25 turore > furore – 106,13 Morbieu > Morbleu – 106,14 faschè per > fasché par – 106,23 Schlichtigheim. > Schlichtigheim? – 107,6 Heroi, > Heroi – 107,8 Lerbeux Esprits, > Les beaux Esprits – 107,9 recontre > rencontre – 107,10 Daradiridatumdarides > Daradiridatumtarides – 107,17 petri, ficato > petrificato – 107,21 pugrale > pugnale – 108,1 verdine > verdiene (B) – 109,19 We > Wie – 111,2 nich > nicht (B) – 111,29 welchem > welchen – 112,6 oͤffne: > oͤffne! (B) – 112,21 Waͤisen > Waisen (B) – 112,24 Messer > Messer. (B) – 112,34 verknuͤffen > verknuͤpffen – 113,20 Daradiridatumdarides > Daradiridatumtarides – 113,22 f. Daradiridatumdaride > Daradiridatumtaride – 114,16 garaus sauffen / > gar aussauffen / (B).

Heyraths-Contract

116,8 gebuͤhrender legitima > gebuͤhrenden legitimo – 117,25 frembdem > frembden – 118,13 Trompetem / > Trompeten / – 119,3 Seifkeffelmacherheim > Seiffkesselmacherheim

Aufgrund der Umstellung von Fraktur auf Antiqua mußte auf die im Barock übliche Auszeichnung von Fremdwörtern verzichtet werden. Damit entfielen auch Frakturlettern wie ſ > s, doch konnte der zeitgenössische Schriftcharakter durch Beibehaltung von aͤ, oͤ und uͤ gewahrt werden. Auch in der Verwendung von u und v sowie dem ausschließlichen Gebrauch des J am Wortanfang (mit Ausnahme des Italienischen und Lateinischen) folgt unsere Edition stets dem Originaltext A. Der leichteren Lesbarkeit halber wurden die Abbreviaturen ē > en, m̄ > mm, n̄ > nn oder nd, ō > on sowie die Ligaturen Æ > Ae, æ > ae und œ > oe aufgelöst. Hingegen entschied sich der Herausgeber für Beibehaltung des &-Zeichens, da dieses je nach der Sprache abwechselnd lat. ›et‹, dt. ›und‹, ital. ›e‹, frz. ›et‹ usw. bedeuten kann.

Der Wechsel zwischen Virgeln (/) und Kommata entspricht dem Original. Die in A unübersichtlich im Text versteckten Bühnenanweisungen wurden durch Kursivsatz und – wo nötig – runde Klammern hervorgehoben. Abkürzungen der Personennamen am Zeilenanfang wurden nicht vereinheitlicht, sondern wie im Original belassen. Die Paginierung des Originaltexts A wurde in eckigen Klammern [ ] wiedergegeben. Auf Angabe der Bogensignaturen konnte wegen der durchgehenden Seitenzählung der Erstausgabe ab S. 1 verzichtet werden. Die Kolumnentitel (links *Horribilicribrifax*, rechts *Schertz-Spiel*) wurden durch Aktangaben ersetzt. Die in den Anmerkungen gebotenen Übersetzungen sind der jeweils verwendeten Anredeform des deutschen Kontexts angepaßt. Die Zeilenzählung wurde neu eingeführt.

Literaturhinweise

Drucke des 17. Jahrhunderts

(A) *Andreae Gryphii Horribilicribrifax. Teutsch.* Breslau o. J. [1663].

(B) *Andreae Gryphii Horribilicribrifax. Teutsch.* Breslau 1665.

(C) Horribilicribrifax, Schertz-Spiel. In: *Andreae Gryphii Lust- und Schertz-Spiele.* Breslau o. J. [1695?].

(D) Horribilicribrifax. In: *Andreae Gryphii, um ein merckliches vermehrte Teutsche Gedichte.* Breslau u. Leipzig 1698.

Neudrucke

Tieck, Ludwig (Hrsg.): Horribilicribrifax. In: *Deutsches Theater.* Bd. 2. Berlin 1817. S. 145 ff.

Tittmann, Julius (Hrsg.): Horribilicribrifax. In: *Andreas Gryphius. Dramatische Dichtungen.* Leipzig 1870. S. 201 bis 271. (Deutsche Dichter des 17. Jahrhunderts. Bd. 4.)

Braune, Wilhelm (Hrsg.): *Horribilicribrifax. Scherzspiel. Abdruck der ersten Ausgabe (1663).* Halle 1876. (Neudrucke deutscher Literaturwerke des 16. und 17. Jahrhunderts. Bd. 3.)

Palm, Hermann (Hrsg.): Andreae Gryphii Horribilicribrifax Teutsch. In: *Andreas Gryphius. Lustspiele.* Stuttgart 1878. S. 55–169. (Bibliothek des Literarischen Vereins Stuttgart. Bd. 138.)

Braune, Wilhelm (Hrsg.): *Horribilicribrifax. Scherzspiel. Abdruck der ersten Ausgabe (1663). Zweiter Druck.* Halle 1883. (Neudrucke deutscher Literaturwerke des 16. und 17. Jahrhunderts. Bd. 3.)

Palm, Hermann (Hrsg.): Andreae Gryphii Horribilicribrifax, Deutsch. Schertz-Spiel. In: *Gryphius' Werke.* Berlin u. Stuttgart o. J. [1883]. S. 237–328. (Deutsche National-Literatur. Bd. 29.)

Szenen aus Horribilicribrifax des Andreas Gryphius. Zum Gebrauch der Liebhaberbühne, ausgewählt und mit szenischen Bemerkungen versehen. Leipzig 1895. (Bibliothek für deutsche Schüler. Bd. 2.)

Pannier, Karl (Hrsg.): *Horribilicribrifax. Erneuert und eingeleitet [. . .].* Leipzig 1920. (Reclams Universal-Bibliothek Nr. 688.)

Flemming, Willi (Hrsg.): Horribilicribrifax. In: *Die deutsche Barockkomödie.* Leipzig 1931. S. 109–180. (Deutsche Literatur in Entwicklungsreihen. Reihe Barockdrama, Bd. 4.)

Palm, Hermann (Hrsg.): Andreae Gryphii Horribilicribrifax Teutsch. In: *Andreas Gryphius. Lustspiele.* Darmstadt 1961. S. 55–169.

Flemming, Willi (Hrsg.): Horribilicribrifax. In: *Die deutsche Barockkomödie.* Hildesheim u. Darmstadt 1965. (Deutsche Literatur in Entwicklungsreihen. Reihe Barockdrama, Bd. 4.)

Powell, Hugh (Hrsg.): Horribilicribrifax. In: *Andreas Gryphius. Gesamtausgabe der deutschsprachigen Werke.* Band 7. Tübingen 1969. S. 41–119. (Neudrucke deutscher Literaturwerke. N. F. Bd. 21.)

Ketelsen, Uwe-Kai (Hrsg.): Horribilicribrifax. In: *Komödien des Barock.* Reinbek 1970. S. 45–126. (Rowohlts Klassiker Nr. 524/525.)

Arnold, Heinz Ludwig (Hrsg.): Andreae Gryphii Horribilicribrifax Teutsch. In: Andreas Gryphius. *Die Lustspiele.* München 1975. (dtv-Bibliothek Nr. 6034.)

Literatur zu »Horribilicribrifax«

Andreini, Francesco: *Le bravvre del Capitano Spavento.* Venezia [1]1607, [2]1624.

Böckmann, Paul: Die satirische Entlarvung des Elegantiaideals im Lustspiel. In: P. B.: *Formgeschichte der deutschen Dichtung.* Bd. 1. Hamburg [3]1967. S. 444–448.

Catholy, Eckehard: *Das deutsche Lustspiel. Vom Mittelalter bis zum nahen Ende der Barockzeit.* Stuttgart 1969. (Sprache und Literatur. Bd. 47.)

Emmerling, Hans: *Untersuchungen zur Handlungsstruktur der deutschen Barockkomödie.* Diss. Saarbrücken 1961. [Masch.]

Flemming, Willi: Horribilicribrifax: In: W. F.: *Andreas Gryphius und die Bühne.* Halle 1921. S. 326–338.

Flemming, Willi: Einführung zu: *Die deutsche Barockkomödie.* Leipzig 1931. S. 6–58. (Deutsche Literatur in Entwicklungsreihen. Reihe Barockdrama, Bd. 4. Reprint Hildesheim u. Darmstadt 1965.)

Hartmann, Horst: *Die Entwicklung des deutschen Lustspiels von Gryphius bis Weise (1648–1688).* Diss. Potsdam 1960. [Masch.]

Hinck, Walter: Gryphius' Horribilicribrifax. In: *Das deutsche Lustspiel des 17. und 18. Jahrhunderts und die italienische Komödie.* Stuttgart 1965. S. 105–129. (Germanistische Abhandlungen. Bd. 8.)

Hinck, Walter: Gryphius und die italienische Komödie. Untersuchung zum »Horribilicribrifax«. In: *Germanisch-Romanische Monatsschrift* 44 (1963) S. 120–146.

Hitzigrath, Heinrich: *Andreas Gryph als Lustspieldichter.* Progr. Wittenberg 1885.

Kaiser, Gerhard: Horribilicribrifax Teutsch. Wehlende liebhaber. In: *Die Dramen des Andreas Gryphius. Eine Sammlung von Einzelinterpretationen.* Hrsg. von G. K. Stuttgart 1968. S. 226–255.

Kiesel, Helmuth: Höfische Gewalt im Lustspiel des Andreas Gryphius. Bemerkungen zum »Horribilicribrifax« im Vergleich zu deutschen Lucretia- und Virginia-Dramen. In: *Text + Kritik.* H. 7/8 (1980) S. 68–79.

Krispyn, Egbert: Vondels »Leeuwendalers« as a Source of Gryphius' »Horribilicribrifax« and »Gelibte Dornrose«. In: *Neophilologus* 46 (1962) S. 134–144.

Lunding, Erik: Assimilierung und Eigenschöpfung in den Lustspielen des Andreas Gryphius. In: *Festschrift für Hans Heinrich Borcherdt.* München 1962. S. 80–96.

Mannack, Eberhard: Andreas Gryphius' Lustspiele – ihre Herkunft, ihre Motive und ihre Entwicklung. In: *Euphorion* 58 (1964) S. 1–40.

Schaffer, Aaron: The Hebrew Words in Gryphius' Horribilicribrifax. In: *Journal of English and Germanic Philology 18 (1919) S. 92–96.*

Schiewek, Ingrid: Ein altes Scherzspiel im Kontext des 17. Jahrhunderts. Überlegungen zum »Horribilicribrifax« des Andreas Gryphius. In: *Weimarer Beiträge* 26 (1980) H. 5. S. 77–105.

Schlienger, Armin: Horribilicribrifax Teutsch. In: A. S.: *Das Komische in den Komödien des Andreas Gryphius.* Bern 1970. S. 144–225. (Europäische Hochschulschriften. Reihe 1, Bd. 28.)

Tisch, J. Hermann: Braggarts, Wooers Foreign Tongues, and Vanitas. Theme and Structure of Andreas Gryphius' »Horribilicribrifax«. In: *AUMLA* (Journal of the Australian Universities Modern Language and Literature Association) 21 (1964) S. 65–78.

Urstadt, K.: Der Kraftmeier im deutschen Drama von Gryphius bis zum Sturm und Drang. Diss. Gießen 1926.

Zeitgenössische Darstellung des Capitano Spavento

Nachwort

Obwohl häufig diskutiert, konnte die Frage der Herkunft des *Horribilicribrifax*-Stoffes erst in jüngster Zeit gelöst werden. Daß sich Gryphius einer literarischen Vorlage bedient hatte, wurde längst mit einiger Sicherheit vermutet, doch ging es zunächst um Überwindung der hartnäckigen Tendenz, die Einflußsphäre unter den germanischen Sprachen zu suchen. So verneinte Erik Lunding noch im Jahre 1962 den Einfluß der Romania[1], während Egbert Krispyn zur gleichen Zeit den Versuch unternahm, die Komödie auf eine holländische Quelle zurückzuführen.[2] Doch gelang es Walter Hinck schon im folgenden Jahre, nicht allein die letztgenannte Hypothese zu widerlegen, sondern gleichzeitig auch alle weiteren Forschungen zum *Horribilicribrifax* definitiv auf italienische Quellen zu verweisen.[3] Im Verlaufe seiner Untersuchung erwähnt er unter anderem den berühmtesten aller Capitano-Darsteller der Commedia dell'arte, Francesco Andreini (1550–1624), der gegen Ende seiner Karriere eine Sammlung seiner eigenen Capitano-Szenarien unter dem Titel *Le bravvre del Capitano Spavento*[4] veröffentlicht hatte. Obzwar Hinck hier als erster enge Zusammenhänge zu Gryphius erkannte, zögerte er doch noch, »in bloß ›positivistischer‹ Manier einen Katalog von Beispielen direkter Abhängigkeit herzustellen«[5]. Eben dieser Beweis aber mußte erbracht werden. Auch Eberhard Mannack, der 1964 gleich-

1. Erik Lunding: Assimilierung und Eigenschöpfung in den Lustspielen des Andreas Gryphius. In: *Festschrift für Hans Heinrich Borcherdt*. München 1962. S. 93.
2. Egbert Krispyn: Vondels »Leeuwendalers« as a Source of Gryphius' »Horribilicribrifax« and »Gelibte Dornrose«. In: *Neophilologus* 46 (1962) S. 134–144.
3. Walter Hinck: Gryphius und die italienische Komödie. Untersuchung zum »Horribilicribrifax«. In: *Germanisch-Romanische Monatsschrift* 44 (1963) S. 125 f.
4. Francesco Andreini: *Le bravvre del Capitano Spavento*. Venedig 1607.
5. Hinck (s. Anm. 3) S. 127.

falls gewisse Ähnlichkeiten konstatieren konnte[6], kam der Lösung des Problems nicht näher, da er sich der von Gryphius nicht benutzten Übersetzung des *Spavento*[7] bedient hatte, anstatt das italienische Original Andreinis zugrunde zu legen. So mußte ihm die Tatsache verborgen bleiben, die erst Armin Schlienger in seiner Dissertation von 1970 aufdecken konnte – nämlich daß wir es hier nicht nur mit gewissen Anklängen in der Ausdrucksweise zu tun haben, wie schon Hinck und Mannack feststellen konnten, sondern daß sich fast jede der italienischen Redewendungen des *Horribilicribrifax* mit einer entsprechenden Stelle aus Andreinis *Spavento* belegen läßt – ja daß es sich in einigen Fällen überhaupt um wörtliche Zitate handelt.[8] Selbst die deutschsprachigen Dialoge zwischen den beiden Milites Gloriosi und ihren Dienern stimmen nicht selten mit entsprechenden Stellen bei Andreini überein. Damit läßt sich auch der Titel des Scherzspiels, *Horribilicribrifax »Teutsch«*, als bewußter Versuch einer deutschen Widerspiegelung der italienischen Capitano-Gestalt erklären.

Andreinis prahlerischer und ruhmrediger Spavento della Valle Inferno (»Fürchterlich von Höllental«) hat sich so in den nicht weniger bombastischen Maulhelden Horribilicribrifax, den »gräßlichen Siebmacher«, verwandelt, der seine Feinde wie Siebe zu durchlöchern droht. Mehr noch: er hat sich verdoppelt! Die Spiegelung des großsprecherischen »gehelmeten Hasen« durch Gegenüberstellung mit seinem Ebenbild Daradiridatumtarides ist ein genialer Einfall des deutschen Dichters. Erst die Aufspaltung der klassischen Komödiengestalt des Miles Gloriosus in zwei völlig gleiche Hälften ermöglicht ja die komische Konfrontationsszene des letzten Aktes – den »Zusammenprall zweier Vakua«, wie Hinck

6. Eberhard Mannack: Andreas Gryphius' Lustspiele – ihre Herkunft, ihre Motive und ihre Entwicklung. In: *Euphorion* 58 (1964) S. 17.

7. *J. Ristii Holsati Capitan Spavento* [. . .]. Hamburg 1635.

8. Armin Schlienger: Horribilicribrifax Teutsch. In: *Das Komische in den Komödien des Andreas Gryphius*. Bern 1970. Bes. S. 148 f.

treffend bemerkt[9] – und damit zugleich die gegenseitige Aufhebung der zwei spiegelfechterischen Existenzen. Die beiden Helden sind absolut austauschbar, obschon sie sich äußerlich durch Verwendung verschiedener Fremdsprachen voneinander unterscheiden. Ja, auch dieses letzte Unterscheidungsmerkmal fällt im Augenblick des Erkennens, wenn Daradiri plötzlich das Italienisch seines Rivalen Horribili übernimmt, während sich dieser wiederum der französischen Sprache Daradiris bedient.[10] Gerade in einer Komödie wie der vorliegenden, die sich als eine Serie von Variationen zum Thema Schein und Sein interpretieren ließe, muß eine solche Spiegelung des Titelhelden eine brillante und effektvolle Wirkung hervorrufen.

Schon das Personenverzeichnis vermittelt ein klares Bild der Verschiedenartigkeit der Stände, die sich im Rahmen dieses Scherzspiels begegnen, Verbindungen miteinander eingehen und sich wieder trennen, nur um sich später zu anderen Konstellationen erneut zusammenzufinden. Zwar scheint die traditionelle Einteilung in fünf Akte gewahrt, doch haben wir es in Wirklichkeit mit einer relativ losen Szenenfolge zu tun, die bald diesen, bald jenen Handlungsaspekt in den Vordergrund treten läßt. Fünf separate Handlungsstränge lassen sich dabei herauskristallisieren: 1. die groteske Handlung um den Titelhelden Horribili, 2. die unbesonnene Liebesaffäre zwischen Daradiri und Selene, 3. die besonnenere Liebe Palladios zu Coelestina, 4. das exemplarische Verhältnis zwischen Cleander und Sophia und schließlich 5. die komische Verbindung zwischen Sempronius und Cyrille.[11] Die jeweiligen Beziehungen der handelnden Personen zueinander sind nicht immer sofort erkennbar, da sie im Stück oft schein-

9. Walter Hinck: *Das deutsche Lustspiel des 17. und 18. Jahrhunderts und die italienische Komödie.* Stuttgart 1965. S. 114.

10. Gerhard Kaiser: Horribilicribrifax Teutsch. Wehlende Liebhaber. In: *Die Dramen des Andreas Gryphius. Eine Sammlung von Einzelinterpretationen.* Hrsg. von G. K. Stuttgart 1968. S. 229 ff.

11. Diese Gliederung folgt Schlienger (s. Anm. 8) S. 144. Dort ausführliche Interpretationen jedes einzelnen Handlungsstranges.

bar absichtslos auftreten, sodann aus unserem Blickfeld verschwinden und später in neuen Kombinationen kaleidoskopartig wiedererscheinen. Nicht zufällig ist es dabei immer der Titelheld, der sich als einziger in allen fünf Handlungssträngen bewegt und so das Verbindungsglied bildet.
Horribili zugeordnet ist die schöne Coelestina, die sich jedoch von seinen hyperbolischen Aufschneidereien und Prahlereien nicht beeindrucken läßt, sondern fest in ihrer Liebe zu Palladius beharrt. Daradiri bemüht sich indessen um die eitle Selene, die seinen Lügengespinsten Glauben schenkt und sich von seiner Großtuerei beeindrucken läßt – freilich nur, um am Schluß um so bitterer enttäuscht zu werden. Doch selbst zwischen den beiden äußerlich so ähnlichen Milites Gloriosi lassen sich subtile Charakternuancen differenzieren. Während sich Horribili stets als edler Ritter aufführt, der mit quichottischer Galanterie der holden Weiblichkeit zu Diensten stehen möchte, ist sein Gegenstück Daradiri nichts als ein durchtriebener Gauner, der die Leichtgläubigkeit seiner weiblichen Bewunderer auf schamlose Weise zu seinem Vorteil ausnutzt. Wie ihre Herren, so stehen auch die Diener noch ganz im Banne der Commedia dell'arte. Ist der Capitano geistiger Ahnherr von Horribili und Daradiri, so folgen die Diener Cacciadiavolo, Diego und Harpax der hergebrachten Trappola-Rolle. Dieser Tradition gemäß versuchen sie, es im Umgang mit dem schönen Geschlecht ihren Herren gleichzutun, üben jedoch zugleich auch Kritik an deren ›Heldentaten‹ durch ihre sarkastischen Randbemerkungen.
Wie der Untertitel *Wehlende Liebhaber* (S. 15) bereits eingangs vorausdeutet, ist die Partnerwahl eines der Hauptthemen des Stückes. In der Tat ist sie es, die zwischen den Mitgliedern der verschiedensten Gesellschaftsklassen die Verbindung herstellt. Auch Antonia betont schon am Anfang des Scherzspiels (S. 19), daß ein zufriedenes Dasein letzten Endes von einer glücklichen Partnerwahl abhängt. Trotz dieses wohlgemeinten Rates wählt ihre schon im Personenverzeichnis als hochmütig charakterisierte Tochter Selene falsch, wenn

sie Daradiris Lügengespinsten Glauben schenkt. Die besonnenere Coelestina dagegen wählt richtig, wenn sie den Prahler Horribili verschmäht und statt seiner die Hand des Palladius akzeptiert. Die übrigen Paare repräsentieren ähnliche Exempla falscher beziehungsweise richtiger Partnerwahl. Eine Sonderstellung – auch in sprachlicher Hinsicht – kommt den Dialogen des Schulmeisters Sempronius und der Kuppelhure Cyrille zu, deren wunderliche, auf endlosen Mißverständnissen basierende Komik wesentlich zum Erfolg dieses Scherzspiels beiträgt. In ironischer Krönung ihrer Kuppelkarriere gelingt der alten Vettel schließlich ihr größter Wurf: sich selbst zu verkuppeln! Als Gegenstück zu Daradiris von Fremdwörtern wimmelnder Vorrede, in der er die zweifelhafte Herkunft des Stückes zu erklären sucht, läßt Gryphius am Schluß den in komischer Verkehrung der üblichen Gebräuche aufgesetzten Heiratskontrakt des Sempronius und der Cyrille folgen. In Verkennung der Wichtigkeit dieses inhaltlich eng mit dem Schlußakt verknüpften Kontrakts haben einige neuere Editionen denselben nicht mit abgedruckt. In der vorliegenden Ausgabe wurde er jedoch nach dem Erstdruck A wiederhergestellt.

Im *Horribilicribrifax* unternimmt es Gryphius, die durch den Dreißigjährigen Krieg und seine Nachwehen in Deutschland verbreitete Sprachmengerei auf groteske Weise satirisch zu beleuchten. Wie im *Peter Squentz* beruht auch hier – über die bloße Karikatur der zeitgenössischen Umstände hinaus – ein Großteil des Humors auf der Nichtbeherrschung der Fremdsprachen seitens einiger auf ihr Wissen besonders eingebildeter Personen. Falsche Schreibweise, unrichtige Aussprache sowie unpassende Anwendung an sich richtiger Termini werden hier zu bewußten Stilmitteln umfunktioniert. Gryphius soll vierzehn Sprachen beherrscht haben, doch wäre es abwegig, aus dieser Tatsache zu schließen, er habe hier seine umfassenden linguistischen Talente zur Schau stellen wollen. Vielmehr zeigt das völlige Fehlen z. B. des Polnischen, das Gryphius zweifellos beherrschte, daß er sich hier

an ein ganz spezifisches Publikum, nämlich die deutschen Gelehrtenkreise, wenden wollte. In der Tat lassen sich Schulaufführungen des *Horribilicribrifax* schon im siebzehnten Jahrhundert nachweisen[12], und noch 1895 erschien eine speziell für das Schultheater redigierte Edition des Stückes.[13]
Wie unschwer zu erkennen, ist die Sprache dieses Scherzspiels keineswegs dem Leben abgelauscht, sondern mit Vorbedacht »zusammengetüftelt«[14]. Wenn also die beiden Capitani mit italienischen und französischen Sprachbrocken um sich werfen, die sie selbst kaum verstehen und zudem oft noch falsch aussprechen, so geschieht dies mit vollster Absicht des Dichters. Für den Herausgeber ist deshalb größte Vorsicht bei der Korrektur vermeintlicher ›Druckfehler‹ geboten. Auch wenn etwa die alte Cyrilla vom »Kackelthen Drumtraris« (Kapitän Daradiridatumtarides) faselt, so sind derartige Namensverdrehungen keine bloßen Irrtümer, sondern ein eklatanter Ausdruck jenes dichterischen Sprachprinzips, das Paul Böckmann so treffend als »Entlarvung des Elegantiaideals« charakterisiert hat.[15] Satirische Wortspielereien dieses Typs können sich auf eine alte Tradition berufen; man denke etwa an Johannes Fischarts *Affentheurliche / Naupengeheurliche Geschichtsklitterung*, die noch zu Gryphius' Zeiten neu aufgelegt wurde.
Die dichterische Infragestellung der Sprache als Kommunikationsmittel und die satirische Beleuchtung der Sprachenverwirrung muten den modernen Leser, der sich im Alltagsleben des enger zusammengerückten Europa den mannig-

12. Christian Heinrich Lorenz: *Geschichte des Gymnasiums [. . .] Altenburg*. Altenburg 1789. S. 359. Vgl. Willi Flemming: *Andreas Gryphius und die Bühne*. Halle 1921. Bes. S. 326–338.
13. *Szenen aus Horribilicribrifax des Andreas Gryphius. Zum Gebrauch der Liebhaberbühne, ausgewählt und mit szenischen Bemerkungen versehen*. Leipzig 1895. (Bibliothek für deutsche Schüler. Bd. 2.)
14. Willi Flemming: Einführung zu: *Die deutsche Barockkomödie*. Leipzig 1931. S. 47.
15. Paul Böckmann: *Formgeschichte der deutschen Dichtung*. Hamburg 1967. S. 444 f.

faltigsten internationalen Einflüssen ausgesetzt sieht, äußerst aktuell an. So wird er in der Lage sein, Andreas Gryphius' Zeitsatire ein größeres Verständnis entgegenzubringen, als dies noch vor wenigen Jahrzehnten möglich gewesen wäre.

Inhalt

Barockliteratur

IN RECLAMS UNIVERSAL-BIBLIOTHEK (AUSWAHL)

Abraham a Sancta Clara: *Wunderlicher Traum von einem großen Narrennest.* Hrsg. v. Alois Haas. 6399

Angelus Silesius: *Aus dem Cherubinischen Wandersmann und anderen geistlichen Dichtungen.* Auswahl Erich Haring. 7623 – *Cherubinischer Wandersmann.* Kritische Ausgabe. Hrsg. v. Louise Gnädinger. 8006 [5] (auch geb.)

Jakob Bidermann: *Cenodoxus.* Deutsche Übersetzung v. Joachim Meichel (1635). Hrsg. v. Rolf Tarot. 8958 [2]

Simon Dach und der Königsberger Dichterkreis. Hrsg. v. Alfred Kelletat. 8281 [5]

Gedichte des Barock. Hrsg. v. Ulrich Maché u. Volker Meid. 9975 [5]

Gedichte und Interpretationen. Bd. 1: Renaissance und Barock. Hrsg. v. Volker Meid. 7890 [5]

Hans Jacob Christoph von Grimmelshausen: *Der abenteuerliche Simplicissimus Teutsch.* Einleitung v. Volker Meid. 761 [8] – *Lebensbeschreibung der Erzbetrügerin und Landstörzerin Courasche.* Hrsg. v. Klaus Haberkamm u. Günther Weydt. 7998 [2] – *Der seltzame Springinsfeld.* Hrsg. v. Klaus Haberkamm. 9814 [3]

Andreas Gryphius: *Absurda Comica oder Herr Peter Squenz.* Schimpfspiel. Hrsg. v. Herbert Cysarz. 917. Kritische Ausgabe: Hrsg. v. Gerhard Dünnhaupt u. Karl-Heinz Habersetzer. 7982 – *Cardenio und Celinde Oder Unglücklich Verliebete.* Trauerspiel. Hrsg. v. Rolf Tarot. 8532 – *Carolus Stuardus.* Trauerspiel. Hrsg. v. Hans Wagener. 9366 [2] – *Catharina von Georgien.* Trauerspiel. Hrsg. v. A. M. Maas. 9751 [2] – *Gedichte.* Auswahl Adalbert Elschenbroich. 8799 [2] – *Großmütiger Rechtsgelehrter oder Sterbender Aemilius Paulus Papinianus.* Trauerspiel. Text der Erstausgabe, besorgt v. Ilse-Marie Barth. Nachwort Werner Keller. 8935 [2] – *Horribilicribrifax Teutsch.* Scherzspiel. Hrsg. v. Gerhard Dünnhaupt. 688 [2] – *Leo Armenius.* Trauerspiel. Hrsg. v. Peter Rusterholz. 7960 [2] – *Verliebtes Gespenst.* Gesangspiel. *Die geliebte Dornrose.* Scherzspiel. Hrsg. v. Eberhard Mannack. 6486 [2]

Johann Christian Günther: *Gedichte.* Auswahl u. Nachwort Manfred Windfuhr. 1295

Johann Christian Hallmann: *Mariamne.* Trauerspiel. Hrsg. v. Gerhard Spellerberg. 9437 [3]

Christian Hofmann von Hofmannswaldau: *Gedichte.* Auswahl u. Nachwort v. Manfred Windfuhr. 8889 [2]

Quirinus Kuhlmann: *Der Kühlpsalter.* 1.–15. und 73.–93. Psalm. Im Anhang: Photomechanischer Nachdruck des »Quinarius« (1680). Hrsg. v. Heinz Ludwig Arnold. 9422 [2]

Friedrich von Logau: *Sinngedichte.* Hrsg. v. Ernst-Peter Wieckenberg. 706 [4]

Daniel Casper von Lohenstein: *Cleopatra.* Trauerspiel. Text der Erstfassung von 1661, besorgt v. Ilse-Marie Barth. Nachwort Willi Flemming. 8950 [3] – *Sophonisbe.* Trauerspiel. Hrsg. v. Rolf Tarot. 8394 [3]

Martin Opitz: *Buch von der Deutschen Poeterey* (1624). Hrsg. v. Cornelius Sommer. 8397 [2] – *Gedichte.* Auswahl. Hrsg. v. Jan-Dirk Müller. 361 [3] – *Schäfferey von der Nimfen Hercinie.* Hrsg. v. Peter Rusterholz. 8594

Poetik des Barock. Hrsg. v. Marian Szyrocki. 9854 [4]

Christian Reuter: *Schelmuffskys warhafftige curiöse und sehr gefährliche Reisebeschreibung zu Wasser und Lande.* Hrsg. v. Ilse-Marie Barth. 4343 [3] – *Schlampampe.* Komödien. Hrsg. v. Rolf Tarot. 8712 [3]

Spee, Friedrich: *Trvtz-Nachtigal.* Hrsg. v. Theo G. M. van Oorschot. 2596 [4]

Kaspar Stieler: *Die geharnschte Venus.* Hrsg. v. Ferdinand van Ingen. 7932 [3]

Georg Rodolf Weckherlin: *Gedichte.* Ausgew. u. hrsg. v. Christian Wagenknecht. 9358 [4]

Christian Weise: *Masaniello.* Trauerspiel. Hrsg. v. Fritz Martini. 9327 [3] – *Ein wunderliches Schau-Spiel vom Niederländischen Bauer.* Hrsg. v. Harald Burger. 8317 [2]

Philipp Reclam jun. Stuttgart

Geschichte der deutschen Literatur
von den Anfängen bis zur Gegenwart

Band I: *Vom frühen Mittelalter bis zum Ende des 16. Jahrhunderts.*
Von Max Wehrli. 2. Auflage. 1242 Seiten.

Band II: *Vom Barock bis zur Klassik.*
Von Werner Kohlschmidt. 2. Auflage.
984 Seiten. Mit 112 Abbildungen.

Band III: *Von der Romantik bis zum späten Goethe.*
Von Werner Kohlschmidt. 768 Seiten.
Mit 79 Abbildungen.

Band IV: *Vom Jungen Deutschland bis zum Naturalismus.*
Von Werner Kohlschmidt. 2. Auflage.
924 Seiten. Mit 110 Abbildungen.

Band V: *Vom Jugendstil zum Expressionismus.*
Von Herbert Lehnert. 1100 Seiten.
Mit 80 Abbildungen.

Philipp Reclam jun. Stuttgart